Michelle Bouffard

DIS-MOI QUI TU ES, JE TE DIRAI QUOI BOIRE

cardinal

Dis-moi qui tu es, je te dirai quoi boire

Michelle Bouffard

Textes: Michelle Bouffard
Photographies et retouches: Jorge Camarotti
Direction de création: Noémie Graugnard
Direction artistique et design: Maude Paquette-Boulva
Édition: Emilie Villeneuve
Révision: Pierre Duchesneau
Correction d'épreuves: Isabelle Rolland et Vincent Fortier
Coordination: Marie Guarnera

Un ouvrage sous la direction d'Antoine Ross Trempe

Publié par:
Les Éditions Cardinal inc.
7240, rue Saint-Hubert
Montréal (Québec) H2R 2N1
editions-cardinal.ca

Dépôt légal: 3ᵉ trimestre 2017
Bibliothèque et Archives nationales du Québec
Bibliothèque et Archives Canada
ISBN: 978-2-924646-14-4

Financé par le gouvernement du Canada
Funded by the Government of Canada | Canadä

Nous reconnaissons avoir reçu l'aide financière du gouvernement
du Québec — Crédit d'impôt remboursable pour l'édition de livres
et programme d'Aide à l'édition et à la promotion — SODEC.

ISBN: 978-2-924646-14-4

Imprimé au Canada

MIXTE
Papier issu de
sources responsables
FSC® C011825

«Quand mon corps n'y sera plus, nos souvenirs me garderont en vie»,
tu m'avais dit, juste avant de t'envoler.

Pour toi, cher Benoît, qui avais compris très tôt que les grandes rencontres
dépassent le temps. Merci pour tes folies et ta sagesse.

Table des matières

INTRODUCTION

Introduction

Mon regard est marqué par de nombreuses années dédiées à la musique classique, aux planches de théâtres et à l'étude de l'art de l'entrevue, de même que par des voyages sur les cinq continents et ma passion pour les plaisirs de la table. D'ailleurs, les gens me demandent souvent comment j'ai pu abandonner la trompette pour me consacrer au vin. Certes, j'ai troqué la musique pour la dive bouteille, mais ces univers expriment tous deux l'histoire d'une terre et l'âme d'un artiste. Surtout, ils offrent des capsules de bonheur à partager et inscrivent un moment dans le temps.

Ce livre réunit donc mon passé et mon présent. Dans *Dis-moi qui tu es, je te dirai quoi boire*, je propose des récits: ceux de 20 personnalités du Québec qui écrivent la culture de chez nous, chacune à sa façon. Autour d'une bouteille de vin, elles me confient des histoires intimes et touchantes.

C'est en démasquant l'âme d'un artiste qu'on parvient à comprendre son œuvre. C'est aussi en apprenant à connaître quelqu'un qu'on découvre ses goûts. Dans *Dis-moi qui tu es, je te dirai quoi boire*, je m'inspire de l'histoire de chacune de ces personnes, ainsi que des traits de son caractère, pour choisir les trois types de vins que je lui recommande. Parfois, le lien est concret — comme une anecdote, un souvenir de voyage ou un mets fétiche. À d'autres moments, je fais des analogies entre la particularité d'un cépage ou d'une région viticole et la personnalité de l'interviewé.

COMMENT ABORDER CE LIVRE

Avec une ouverture d'esprit! Vous y trouverez parfois un aspect théorique, parfois un côté ludique, mais toutes les recommandations passent d'abord par l'histoire de quelqu'un — des chapitres que vous pouvez lire un à la fois, dans l'ordre qui vous plaira.

Depuis longtemps, je tisse des liens entre les arts, la musique, les traits de caractère d'une personne et le vin. Droit, acidulé et souvent austère, avec un sérieux indéniable, le chenin blanc du Val de Loire se compare, par exemple, à mes yeux à une ballerine. Si j'avais à dessiner ce cépage, je tracerais une ligne droite. En musique, il m'inspire l'austérité de Wagner et l'intellect de Stravinsky. Bref, la dimension ludique et abstraite du vin fait autant partie de mon univers que son aspect théorique, que j'étudie depuis 18 ans.

Le vin est un sujet inépuisable pour tout passionné qui a soif d'apprendre. Mais son jargon est parfois intimidant pour qui tente de l'apprivoiser... Par cet ouvrage, j'ai voulu vous faire voyager en vous racontant l'histoire des gens, puis en démocratisant le monde vinicole. J'espère que mes analogies vous donneront des points de repère utiles!

LES BONNES ÉTIQUETTES

Sous chaque type de vin suggéré, je propose en moyenne cinq bonnes adresses. Il s'agit de domaines dont je continue d'apprécier, année après année, les produits et le travail.

Question de privilégier la facilité d'accès, j'ai surtout choisi des producteurs dont les bouteilles sont régulièrement en vente à la Société des alcools du Québec (SAQ). Si ce n'est pas le cas, j'ai pris soin d'inscrire le nom de l'agence chargée de l'importation privée de ces produits. Bonne exploration!

DIS-MOI QUI TU ES, JE TE DIRAI QUOI BOIRE

CARTE DES VINS

Carte des vins

Dis-moi qui tu es, je te dirai quoi boire. Je ne suis pas psychologue du vin, mais je procède toujours ainsi lorsque vient le temps de recommander une bouteille à quelqu'un: je l'écoute. Les raisons qui font qu'un vin nous touche sont multiples. Un moment, un endroit, un goût particulier... La chanson «quétaine» qui nous rappelle notre premier amour est aussi importante que l'album qu'on achète pour apprécier le génie d'un musicien. Le vin n'est pas que théorique: il est émotif.

Miles Davis disait: «C'est parce que j'ai étudié à Juilliard et que j'ai compris la technique que je peux improviser comme je le fais.» Plutôt que de réduire le vin à de simples mots, je m'efforce d'évoquer des liens, de dessiner des nuances, d'ajouter des couleurs à l'aspect technique de mes explications. Mon souhait le plus cher: vous inspirer à explorer!

La carte des vins est, en quelque sorte, le menu de ce livre. Elle se pose en repère. Sous le nom de chaque personnalité, vous trouverez celui des vins recommandés, tout comme des mots qui justifient mes choix. Une saveur, une émotion, un souvenir... J'espère que vous retrouverez un peu de vous en eux et qu'à travers ces récits, vous ferez de belles découvertes. À votre tour, vous pourrez alors graver dans le temps un moment partagé avec ceux que vous aimez. Sans l'humain, le vin est dépourvu de son sens.

Jorane

**DÉTERMINÉE   INTENSE
CONTRASTÉE   AUTHENTIQUE**

Emmanuel Bilodeau

**AUTHENTIQUE   ENVIRONNEMENTALISTE
PATRIOTIQUE   INTENSE**

ASSYRTIKO DE SANTORIN
Force et légèreté se côtoient
Salin
Ode à Nana Mouskouri

AFRIQUE DU SUD, BLANC OU ROUGE
Luminosité
En pleine effervescence
Chenin blanc, poisson au cari et au lait de coco

CAVA
Pour célébrer les jours de semaine
Bulles, frites et chips
Parellada, Xarel-lo, Macabeo

CIDRES DU QUÉBEC
Trésor du Québec
Pour le patriotique
Sortie à vélo en famille

LA SYRAH ACCOMPAGNÉE
La somme est plus grande que ses parties
Amie du grenache et du mourvèdre
Pour la bavette

BANYULS
Pour le «chocoholique»
Sucré et enveloppant
Allez et péchez — parce que c'est si bon

Magalie Lépine-Blondeau

**DISCRÈTE AVENTURIÈRE
CURIEUSE SENSIBLE**

BAGA (BAIRRADA)
Souvenirs du Portugal
Un des trésors du pays
Pour l'amoureuse des rouges qui exsudent la fraîcheur

PINOT NOIR DE LA PATAGONIE — ARGENTINE
Sortir des sentiers battus
Élégant et généreux en fruit
Charmeur, aux courbes séduisantes

PEDRO PARRA — CHILI
Soif de rencontre
Le Chili autrement
Jazz et vin

Louis-Jean Cormier

**CABOTIN ÉMOTIF
GOURMAND INTROSPECTIF**

CONDRIEU
Ça prend autant de folie que de courage
Ses courbes et ses notes parfumées séduisent
Le homard et sa bisque

BARBERA
Éveille
Une histoire à la Cendrillon
L'ami de la pizza

ODE À R. LÓPEZ DE HEREDIA VIÑA TONDONIA
Histoire de famille
Beaucoup de choses à raconter
Chouchou des sommeliers

Kim Thúy

**GUERRIÈRE   AMOUREUSE
LOYALE   LUMINEUSE**

THÉ PU'ERH
Raconter l'histoire
Le raffinement est gage du temps, la patience est une vertu
Ses notes graves rappellent la contrebasse

KABUSECHA TAKAMADO
Léger
Fraîcheur
En cocktail avec ou sans gin

RÍAS BAIXAS BLANC
Passe-partout pour tes invités
Concilie vigueur et structure
En symbiose avec les rouleaux de poisson à la vietnamienne

Christian Bégin

**GÉNÉREUX   CHALEUREUX
GOURMAND   CURIEUX**

ROSÉ
Refaire sa réputation
Plusieurs nuances
Ode à Gino Vanelli

RIESLING
Intense
Caméléon
Se bonifie avec le temps
Pour l'amoureux de la cuisine libanaise

CAMPANIE
Blanc ou rouge
Vins tout aussi captivants que la côte amalfitaine
Des bijoux de l'Italie

Geneviève Guérard

**ÉLÉGANTE CLASSIQUE
SÉRIEUSE MÉTICULEUSE**

CHENIN BLANC DU VAL DE LOIRE

*Droit et souvent austère, avec un sérieux indéniable
Intellectuel à ses heures
Se bonifie avec le temps*

CHABLIS

*Sans maquillage
Discret et précis
Acidité tranchante qui fait saliver*

BOURGOGNE ROUGE

*Classique
Élégant et léger
Pour l'amoureuse de la cuisine française*

Alexandre Taillefer

**VISIONNAIRE SENSIBLE
COMPLEXE COMBATTANT**

BOURGOGNE ROUGE 1ER ET GRAND CRUS

*La ténacité est récompensée
Conjugue la finesse avec une force qui ébranle
L'ami des morilles*

BAROLO

*Un bouquet qui hante l'âme
Tout vient à point à qui sait attendre
Force et sensibilité coexistent*

CHARDONNAY AUSTRALIEN

*Être capable de se réinventer constamment
À l'affût des tendances
L'ami du crabe des neiges*

Anne-Marie Cadieux

**RIGOUREUSE   PASSIONNÉE
INSAISISSABLE   CAMÉLÉON**

GRÜNER VELTLINER
Caméléon à ses heures
Peut se bonifier avec le temps
L'ami des salades et du poisson cru

BULLES DE LA NOUVELLE-ÉCOSSE
Contemporaines
Surprenantes
Des huîtres, s.v.p.

TOKAJI ASZÚ
Pour les amoureux du sauternes
Complexe
Se bonifie avec le temps

Marianne St-Gelais

**PERFECTIONNISTE   HUMBLE
PERSÉVÉRANTE   AXÉE SUR LA FAMILLE**

RIESLING D'ALLEMAGNE
Souvenirs de Chine
Dim sum — brunch en famille
Pour un retour graduel aux plaisirs de l'alcool

VALLÉE DU RHÔNE MÉRIDIONALE
Retour aux sources
Tourtière du Lac-Saint-Jean
Pour l'amoureuse des rouges fruités aux tannins souples

VIN DE CONSTANCE
Vin noble
Jamais trop sucré
Boire et manger sans compter les calories

Steven Guilbeault

**ENVIRONNEMENTALISTE   VULGARISATEUR
MILITANT   PASSIONNÉ**

NOUVELLE-ZÉLANDE
Conscience environnementale
Fraîcheur
Pas que du sauvignon blanc

OREGON
Conscience environnementale
Pinot noir
Travailler ensemble

MCLAREN VALE
Conscience environnementale
Diversité
Surprenant

Patrick Lagacé

**SÉRIEUX   DIRECT   TIMIDE
INQUISITEUR   SENSIBLE**

BORDEAUX ROUGE
Noble
S'adoucit avec le temps
Ami de l'agneau

ROUGES LÉGERS DE LA SICILE
Délicats et suprenants
Fraîcheur
Accessibles

PINOT GRIS D'ALSACE
Charpenté et rond en bouche
Généreux
Pétoncles sautés dans le sirop d'érable

Champlain Charest

**TÉMÉRAIRE   GÉNÉREUX
MYTHIQUE   CURIEUX**

CABERNET FRANC DU VAL DE LOIRE
Vin de soif
Déborde de fraîcheur
Abordable

BIERZO
En pleine effervescence
Sa colonne vertébrale soutient ses courbes,
qui sont fort séduisantes
Charme autant en jeunesse qu'après plusieurs
années en cave

BANDOL ROUGE
Copain du collectionneur
Parfois maladroit à l'adolescence
Dévoile ses plus grandes qualités après quelques années
de vieillissement

Anne-Marie Chagnon

**CRÉATIVE   AUTHENTIQUE
GÉNÉREUSE   EXCENTRIQUE**

ROMORANTIN (COUR-CHEVERNY)
Conjugue rondeur et fraîcheur
Peut se bonifier avec le temps

JURANÇON SEC
Exotique
Fruité et rempli de fraîcheur
Dénote beaucoup de caractère

SOAVE
Souffre d'une mauvaise réputation
Capable d'émouvoir
Le garganega brille sur les sols volcaniques

Anne Dorval

**PASSIONNÉE   CULTIVÉE
GÉNÉREUSE   SENSIBLE**

SÉMILLON DE LA VALLÉE DE HUNTER
Secret trop bien gardé
Se bonifie avec le temps
Boire au brunch et au dîner sans se sentir coupable

SANCERRE BLANC
Fraîcheur, vivacité et minéralité
Sans maquillage
Degré de buvabilité élevé

CHAMPAGNE BLANC DE BLANCS
La définition pure de l'élégance
Précis, discret et minéral
Parfois austère en jeunesse; dévoile une grande
complexité avec le temps

Fred Pellerin

**AUTHENTIQUE   RACONTEUR
ENRACINÉ   LÉGENDAIRE**

ALBERTO ANTONINI
Préconise la typicité
Authentique
Souvenirs de Toscane

TELMO RODRIGUEZ
Le terroir au premier plan
Site historique
Renaissance

GÉRARD GAUBY
Authentique
Généreux
Bon pour l'âme, bon pour le corps

Monique Giroux

**CHALEUREUSE   PARISIENNE DANS L'ÂME
GÉNÉREUSE   COMBATTANTE**

PASTIS
*Pour l'amoureuse des parfums
Anis étoilé
Compagnon pour la pétanque*

BANDOL ROSÉ
*Charnu
Saveurs de Provence
Un toast à Henri Salvador*

MUSCADET SÈVRE ET MAINE
*Dangereusement facile à boire
Abordable
Pour les plateaux de fruits de mer*

France Beaudoin

**REBELLE   SANS COMPROMIS
DÉTERMINÉE   CRÉATIVE**

AMARO
*Son amertume est une qualité
La médecine en bouteille
En cocktail ou nature*

VIN ORANGE
*Retourner à l'Antiquité
Entre blanc et rouge
Controversé*

ZINFANDEL
*D'origine croate
Pour l'amoureuse des vins rouges chauds et costauds
Caméléon*

Marc Séguin

**AUTHENTIQUE   DIRECT
CRÉATIF   TIMIDE**

XINOMAVRO
Attachant et authentique
Rappelle parfois le nebbiolo du Piémont
ou le baga de Bairrada
L'histoire devient nécessairement plus intéressante
avec le temps

PRINCE EDWARD COUNTY
Juvénile mais rempli de talent
L'avenir est prometteur
Le chardonnay et le pinot noir s'épanouissent
particulièrement

TARAS OCHOTA (OCHOTA BARRELS)
Son univers vibre de bien-être
La fraîcheur, l'élégance et la texture sont toujours
au rendez-vous
De chaque bouteille émane l'authenticité

Denis Gagnon

**SENSIBLE   CRÉATIF
GÉNÉREUX   TIMIDE**

SYRAH — CÔTE-RÔTIE
Androgyne
Potentiel de vieillissement
Élégance
Classique
Les grandes choses naissent rarement de la facilité

CRUS DU BEAUJOLAIS
Réconfortent
Accessibles et abordables
Poisson ou viande

ALIGOTÉ
Jadis le mouton noir de la Bourgogne
Allie tension et minéralité
Pour le poisson cru préparé simplement

Index des vins

INDEX DES VINS

DIS-MOI QUI TU ES, JE TE DIRAI QUOI BOIRE

«Ce n'est pas la nourriture
qui est la base de tout, c'est le vin.»

CHAMPLAIN CHAREST

Entrevues:
Dis-moi qui tu es,
je te dirai quoi boire

Jorane

**DÉTERMINÉE INTENSE
CONTRASTÉE AUTHENTIQUE**

DIS-MOI QUI TU ES, JE TE DIRAI QUOI BOIRE

La maison de Jorane, je l'appelle la maison du bonheur. Dans l'intimité de l'amitié, et animé par ses proches, cet endroit est pour moi synonyme de moments privilégiés passés en famille. Des soirées à partager un verre, à bavarder, à refaire le monde. Aujourd'hui, après toutes ces années d'amitié, c'est ma première visite à son studio. Elle le nomme «la cabane à Jorane». C'est, en quelque sorte, une extension de sa maison, mais il faut sortir pour y avoir accès. Cet espace est réservé non pas à la célébration, mais au travail.

Installé au milieu d'une forêt silencieuse, son cocon appelle à la zénitude. L'allure du chalet en bois rond réconforte et inspire. Un espresso à la main, entourée de ses instruments, Jorane est calme, posée. Douceur et béatitude sont les mots qui me viennent en tête. Aujourd'hui, pour les besoins de l'exercice, j'essaie de contempler ma grande amie d'un œil extérieur.

Pour un artiste, quel qu'il soit, avoir une signature est sans doute la chose la plus précieuse. On n'a qu'à penser à Leonard Cohen, à Björk ou à Richard Desjardins, et une sonorité bien particulière nous vient en tête. Jorane a aussi son sceau. Dans un univers musical où la voix est en communion avec le violoncelle, elle nous parle sans mots. Ce langage bien unique, certains l'on nommé le «joranien». «Pour moi, y'a pas eu une période avec mots et une période sans mots. Je pense que c'était juste intuitif. Ça vient de mon enfance. On avait un piano chez nous. J'avais suivi des cours, mais je n'avais pas poursuivi. Je pense que la prof n'avait pas pu me saisir et vice versa. Déjà, quand je composais des choses et que je jouais de la musique, je faisais des sons. Une des premières compositions que j'ai faites avant même de jouer et de savoir faire des gammes au violoncelle, c'était vraiment juste des cordes et de la voix», explique-t-elle en jouant quelques notes. Je reconnais *My Little Luck*, une des mes pièces préférées sur l'album *16 mm*.

La voix est un instrument, et Jorane s'exprime plus librement sans mots. «Parce que c'est la musique. Moi, j'aime parler avec le langage de la musique.» Elle revient sur le côté instinctif: «Je ne pense pas que c'est un choix. C'est comme si on parlait à un peintre et qu'on lui demandait où sont les mots! C'est un peu la même affaire... Il y a ce médium fantastique qui s'appelle la chanson et qui marie la musique et les mots. C'est magnifique! Je pense aux chansons d'Anne Sylvestre. C'est pour ça que j'ai décidé, à un moment donné, de faire un album d'interprétation. Pour trimbaler des textes super forts. Mais moi, je n'ai pas étudié en écriture. Les mots ne sont pas mon premier médium. Je me suis tout d'abord exprimée avec des sons», explique Jorane. Je pense aux premiers cris d'un enfant. Les sons viennent toujours avant les mots. La musicienne boucle sa réponse en maintenant qu'elle ne s'est jamais vraiment posé la question à savoir si elle avait le droit ou non de chanter sans mots. «Il y a une dame qui m'a un jour demandé: "Comment fait-on pour devenir une artiste de ce style-là?"» (On éclate de rire.)

En parlant de sa sonorité distincte, je lui demande quels sont les artistes qui l'inspirent. Ils sont multiples, mais Yat-Kha est le premier groupe qu'elle nomme. «Quand je me promenais de festival en festival, il y en a qui me disaient: toi, tu dois aimer Yat-Kha. C'est là que je l'ai découvert et que j'ai commencé à l'écouter comme une folle», me dit-elle. La preuve qu'on ne sait jamais tout d'une amie! La formation russe m'était inconnue. Or, il suffit d'en entendre quelques pièces pour comprendre le lien. Chaque note est un cri du cœur qui vient de l'instinct.

Elle cite plusieurs autres noms. Ce qu'ils ont en commun, c'est la saveur locale qu'imprègne chacune de ces musiques. «Quand je suis allée en Norvège et que je demandais ce qui venait vraiment de là, on me sortait les *bands* pop et connus de partout. Et je disais: "Non! C'est pas ça que je cherche." Puis là, on m'a fait entendre le Kaizers Orchestra, et je me suis mise à les écouter longtemps. Puis, ils sont devenus très populaires — même s'ils chantaient dans leur langue.» Dans le jargon viticole, c'est ce qu'on appelle le terroir. Un vin qui exprime un endroit précis. Une notion possible par l'alliance d'un sol, d'un microclimat, d'un cépage et de la main du vigneron.

Les gens, comme les vins et la musique, sont la résonance d'un lieu. On le comprend surtout lorsqu'on voit Jorane sur scène. Chez elle, l'élégance et la fragilité côtoient une force qui renverse. Ses racines sont profondes et sa musique exprime une intensité qui percute. Son identité, plusieurs la perçoivent. «Les Français m'ont dit: on entend les grandes forêts canadiennes et on voit les plaines, aussi. Je pense que ma sonorité locale s'exprime avec cet esprit de liberté et de grandeur. On me parle même d'une couleur amérindienne. Je pense qu'il y a quelque chose d'instinctif qui doit venir profondément d'ici. Je n'ai pas habité d'autre pays.»

Jorane exprime aussi son talent au-delà de ses spectacles et de ses albums. Elle prend les airs d'un caméléon et touche à plusieurs univers, dont la composition de musique pour le petit écran, le théâtre, la danse et les films. Elle adore travailler avec une équipe sur des projets. Sa collaboration avec Lorraine Pintal, directrice artistique au Théâtre du Nouveau Monde (TNM), a été magique pour Jorane. «Un appel qui m'a vraiment fait plaisir et qui m'a étonnée, aussi. Quand on parle de visualisation… Je me rappelle que toute l'année précédant ce projet, j'avais mis dans les étoiles que j'aimerais ça écrire de la musique pour d'autres formes d'art. Lorraine m'a amené le monde du théâtre. Elle m'a expliqué comment ça fonctionnait. Elle avait une idée très définie de ce qu'elle voulait… Parfois, tu penses comprendre quelqu'un, mais finalement, ce n'est pas le cas. Mais avec Lorraine, ce qu'elle disait et ce que je comprenais, c'était la même chose. Ça s'est vraiment bien passé. J'ai travaillé avec elle sur deux projets: *Albertine, en cinq temps* et *Le journal d'Anne Frank.*» La bande sonore d'Anne Frank donne des frissons. Spectra a d'ailleurs produit un disque pour immortaliser ces compositions.

Le grand écran est un autre médium naturel pour mettre Jorane en lumière. L'envergure et la vitalité qui sont omniprésentes dans tout ce qu'elle fait, le réalisateur Daniel Roby les a bien vues. C'est pour ces qualités qu'il a demandé à Jorane d'écrire la musique du film *Louis Cyr*. «Quand tu me décris ce que tu vois quand tu me vois *live*, Daniel Roby l'a vu aussi. Il m'a dit: "Cette force-là, je la veux dans mon film." Mais il a fallu passer par un processus laborieux pour arriver à quelque chose de grandiose. C'est la première fois que j'avais autant envie de faire cette musique à grand déploiement, et c'est grâce à Daniel Roby que c'est devenu possible. On s'est donnés à fond», raconte Jorane en parlant de ce qui a été l'une des plus grandes expériences de sa carrière.

Parlant collaborations, l'un des musiciens avec qui elle rêve de pouvoir refaire des spectacles, c'est Bobby McFerrin. Ceux qui ont vu sur YouTube le duo se produire à l'occasion du Festival de jazz de Montréal (édition 2007) peuvent comprendre pourquoi. Pour les autres, disons simplement que les univers des deux artistes sont en parfaite communion. «Sa façon d'utiliser la voix et de composer: tout est totalement libre. C'est un virtuose de la voix. Ça n'a aucun sens! Juste l'entendre chanter et le voir diriger les chorales... c'est tellement magnifique.»

La route qui a mené la musicienne jusqu'ici est improbable. Elle défie la logique et les chemins envisageables qu'on nous enseigne à l'école de musique. Je reste à ce jour fascinée par cette fille que j'ai rencontrée alors qu'on était toutes les deux jeunes étudiantes, et qui a toujours cru que tout était possible. «Écoute... Dans ma tête, je n'étais pas vouée à une carrière de chanteuse et à faire des albums. Je pense que c'est ça, la beauté de l'affaire. J'étais en musique parce que c'était fondamental pour moi.»

Le violoncelle est un instrument qu'on apprend tôt, du moins si le but est de gagner sa vie professionnellement avec son archet. Mais Jorane a eu le coup de foudre pour la bête au moment de choisir un second instrument au cégep de Sainte-Foy. Son instrument principal était la guitare classique. Des heures de travail acharné lui ont permis de faire du violoncelle son premier instrument dès sa deuxième année de cours. «J'ai changé d'instrument à 19 ans. Ça n'a pas de bon sens! Je n'ai pas pensé. J'ai juste suivi mon cœur, puis voilà.» La musicienne se souvient avec émotion du soutien de sa prof, sa mentore. «Je me rappelle une fois, quand on regardait un concours solo avec orchestre. Madame Morin m'a dit: "Un jour, ce sera toi." Et je me suis dit: "Ben voyons, franchement! Elle me dit ça juste pour m'encourager." Mais honnêtement, quatre ans plus tard, j'étais solo avec non pas l'orchestre de l'école, mais l'Orchestre symphonique de Québec. Tsé, quand les choses se passent?»

Lorsque je lui demande quel conseil elle pourrait donner aux jeunes musiciens, l'instinct, encore, demeure le noyau de la conversation. «Pour moi, ça a été de suivre cet instinct envers et contre tous. Je n'étais pas consciente de tout ce qu'on me disait, et tant mieux. Et le but n'était pas de me rendre — il n'y avait de point au bout. Je ne savais pas que j'allais faire des concerts, des albums. Ce qui était à la base de tout ça, c'était le désir de créer. Ce n'est pas tout le monde qui est pareil, mais quand on a cet élan-là... Quand on en a un... C'est plus qu'une passion: c'est une vocation. Ça n'a jamais été de l'ordre du "je ne pourrai pas". Je me suis toujours dit: je vais pouvoir jouer d'un instrument. Je vais pouvoir devenir bonne en musique. C'est spécial. C'est zéro calculé! Je vivais bien dans l'insécurité. Ça ne me dérangeait pas de ne pas avoir un super-appart. Tout ce dont j'avais besoin, c'est d'un endroit pour pratiquer 18 heures par jour. La musique, c'est tellement immense...»

Oui, c'est précisément cette immensité, cet instinct, cette gravité, cette vibration qui me ramènent au centre chaque fois que je me retrouve dans la maison du bonheur.

Assyrtiko de Santorin

Un roc sur une plume. L'image du funambule qui rend l'improbable possible grâce à toute sa dextérité d'athlète du cirque. Le symbole du parfait équilibre, où force et légèreté se côtoient et existent en parfaite harmonie. Cette figuration, c'est Jorane sur scène. Et pour moi, l'assyrtiko dans un verre. Malgré le climat méditerranéen de Santorin et les vents chauds, ce cépage blanc grec donne des vins qui conjuguent finesse et fraîcheur. Sur ces sols volcaniques, l'assyrtiko produit des vins charpentés avec des arômes d'agrumes appuyés par des notes salines et minérales prononcées. La déesse grecque a aussi un potentiel étonnant de vieillissement.

LES BONNES ÉTIQUETTES

Hatzidakis
Domaine Sigalas
Argyros
Gaia

Au nom de toutes ces soirées passées dans ta cuisine à écouter Nana Mouskouri et Demis Roussos. En attendant qu'on puisse s'envoler ensemble vers les Cyclades, l'assyrtiko mettra du soleil dans tes tablées. Un accord parfait pour le ceviche de pétoncles que tu aimes préparer, ainsi que pour les sushis pour emporter que tu commandes fréquemment. *Yamas*!

Cava

Je sais que tu apprécies l'art d'Antoni Gaudí et que tu aimerais passer un peu plus de temps à Barcelone. À défaut de pouvoir t'y amener, je te transporte dans une région viticole située tout près de cette ville et qu'on appelle le Penedès.

Cette partie de la Catalogne est surtout réputée pour ses bulles. Bien que la méthode de vinification soit la même que celle qu'on pratique pour produire le champagne, le vin ne peut porter cette appellation. Ici, le vin effervescent se nomme cava. Plusieurs cépages sont utilisés, mais ce sont les trois blancs autochtones qui donnent le caractère typique associé aux cavas: parellada, xarel-lo et macabeo. Le cava est généralement sec et marqué par des notes de pain grillé, de champignon et de pomme rouge.

LES BONNES ÉTIQUETTES

Recaredo
Raventós i Blanc
Parés Baltà
Alta Alella

Le champagne et les huîtres sont tes compagnons de choix pour souligner les moments importants. Mais, comme les jours de la semaine méritent aussi d'être célébrés, je te propose de mettre quelques bouteilles de cava dans ton frigo. À part quelques exceptions, il est plus abordable que le champagne et il offre un rapport qualité-prix inusité. Une option qui fait bon ménage avec tes plaisirs coupables: les chips et les frites. Vive les lundis!

La syrah accompagnée

Si, en Amérique du Nord, on achète souvent un vin selon un cépage de prédilection, plusieurs appellations bien connues sont le résultat d'une alliance de plusieurs d'entre eux. Et contrairement à certains mythes, les assemblages ne font pas des vins inférieurs. L'idée est d'associer des partenaires qui se complètent! Au nom de ta voix et de ton violoncelle qui ne forment qu'un, Jorane, et de toutes les collaborations qui ont réuni le talent de plusieurs pour construire des pièces grandioses. Je pense à la musique de *Louis Cyr* et de *La guerre des tuques*, ainsi qu'à ton travail avec le TNM et I Musici.

Je prends la syrah, cépage que tu affectionnes particulièrement, et j'y apporte quelques nuances. Dans la vallée du Rhône méridionale, elle est souvent accompagnée du grenache et du mourvèdre. La générosité du fruit rouge du grenache vient assouplir la structure de la syrah. Le mourvèdre vient ajouter des notes riches de fruits noirs et un potentiel de garde déjà existant du côté de la syrah. Le tout donne des vins charpentés et élevés en alcool, où les notes de fruits noirs et rouges dansent aux côtés des notes de garrigue.

Les appellations de Vacqueyras, de Gigondas, de Rasteau et de Lirac offrent un bon rapport qualité-prix. Le partenaire idéal pour la bavette du restaurant L'Express, à Montréal, que tu aimes manger après tes spectacles.

LES BONNES ÉTIQUETTES

Domaine Santa Duc
Domaine de Beaurenard
Domaine la Bouïssière
Domaine de la Mordorée
Pierre Amadieu
Alain Jaume

Emmanuel Bilodeau

**AUTHENTIQUE   ENVIRONNEMENTALISTE
PATRIOTIQUE   INTENSE**

DIS-MOI QUI TU ES, JE TE DIRAI QUOI BOIRE

Sur les planches de la salle Ludger-Duvernay, au Monument-National, Emmanuel me salue avec ardeur. Soucieux de perdre l'énergie qu'amènent les premières minutes d'une rencontre, il évoque l'importance de commencer l'entrevue immédiatement. Dans cet endroit grandiose, où il a passé plusieurs années d'études à l'École nationale de théâtre, Emmanuel est dans son élément.

Il y a quelques mois, alors que j'arrivais tout juste d'Afrique du Sud, j'ai donné quelques conseils à Emmanuel. Il allait à Cape Town et à Johannesburg pour les besoins de *Rires du monde*, une émission diffusée sur TV5, en vue de découvrir ce qui fait rire les Sud-Africains. En prenant une gorgée de chenin blanc, assis dans cette salle du Monument-National, il me raconte ses impressions. «Je me suis rendu compte que tout les faisait rire. Ils attendent juste la petite étincelle miniature… Parce qu'ils aiment l'humain, en fait. Noir ou blanc. Je ne m'attendais pas à ça! Je m'attendais à un pays tendu. Ils aiment rire, ils sont souriants et chaleureux d'emblée. Ça me rendait heureux, parce que le défi n'était pas juste de les faire rire, mais de les faire rire beaucoup — et longtemps. Et moi, de rire avec eux et de créer un lien.»

Lorsque je pense à l'Afrique du Sud, la lumière qui baigne le pays est l'une des premières choses qui me vient à l'esprit. Si ce n'est sous un ciel étoilé en Crète, j'ai rarement vu une telle qualité de lumière. Les couleurs du pays sont marquantes. Tout y est vif, éclaté, amplifié. Emmanuel acquiesce en me disant que c'est le reflet de cette même luminosité dans les yeux des gens qui l'a frappé. Là-bas, plus de 20 ans après la fin de l'apartheid, tout est encore en chantier; tout est à construire. «Les Sud-Africains ne sont pas blasés. Il n'y a rien d'acquis. Tout est difficile et précieux», dit Emmanuel.

Ensemble, on réfléchit: le confort endort, l'insécurité éveille — à l'instar du voyage. Et pour l'acteur, c'est aussi une manière de rester plus près de lui-même. «En voyage, je me dégêne rapidement. Je retrouve ma vraie nature de quand j'étais jeune et pas connu. J'aime parler aux gens spontanément. Je ne suis pas Brad Pitt, mais au Québec, c'est plus difficile. La télé te donne de la notoriété… Les gens te donnent un pouvoir, et tu n'as pas le goût de l'avoir, ce pouvoir-là. Tu veux juste avoir une vraie relation et tu ne peux pas. Les gens se mettent sur leur trente-six à l'intérieur et à l'extérieur. Quand j'arrive dans un pays où je ne suis pas connu, je suis content de retrouver la vraie affaire.»

Le parcours de l'artiste est hétéroclite. Les avocats sont rarement attirés par la scène théâtrale, du moins pour en faire un métier! Pourtant, à 21 ans, avec son Barreau en main et un avenir prometteur, Emmanuel passe une audition à l'École nationale de théâtre. «Même si mon bureau d'avocat était sécurisant, c'était ennuyeux à mon âge. J'étais tiraillé. Mais ce n'est pas comme si j'avais été avocat six ou sept ans avant de tout lâcher. J'ajoutais une chose de plus à ma formation et je pouvais toujours revenir si ça ne fonctionnait pas», m'explique-t-il lorsque j'évoque son courage. Le journalisme est une autre de ses passions. «Pendant toutes mes études à l'École nationale de théâtre, j'étais journaliste à Radio-Canada. À un moment donné, je ne pouvais plus faire les deux, parce que j'avais beaucoup de travail en tant que comédien et que quand je suis sorti de l'école, j'ai fondé une compagnie de théâtre pour enfants. Je pouvais écrire et mettre en scène si je le voulais. Ça me permettait de travailler dans tous les aspects de mon corps, de mon esprit, de mon intellect. Ça reliait un paquet de choses que le journalisme ne m'offrait pas. La fibre artistique était forte en moi, même si l'insécurité l'était tout autant.»

Son talent et sa réussite dans autant de sphères commandent le respect. Notons au passage le prix de la meilleure interprétation masculine au prestigieux Festival international du film de Locarno, en 2010, pour son rôle dans *Curling*, de Denis Côté. Il y a aussi eu son rôle marquant dans la télésérie *René Lévesque*, où il a pu réaliser son rêve en incarnant son idole à l'écran. Mentionnons enfin son entrée dans la famille de l'humour, qui a été soulignée en 2011 par le prix Victor du meilleur numéro (pour «Le politicien») à l'occasion du Festival Juste pour rire, sans compter l'accueil chaleureux que le public a réservé à son *One Manu Show*.

Bilodeau n'affectionne pas un univers plus qu'un autre. Pour lui, le médium est un prétexte d'échange. «Ces rencontres-là, professionnelles ou humaines (ou les deux), c'est ça qui m'allume le plus. Grâce à une audition, j'ai rencontré [Alejandro González] Iñárritu, un des réalisateurs que j'aime le plus au monde. Et j'ai pu passer du temps avec lui, à le voir diriger. C'est fou! L'accomplissement de soi est fort, aussi. Quand tu montes sur une scène pour sept minutes ou deux heures et que tu dois livrer un spectacle, ça demande beaucoup d'énergie. Mais ça en donne énormément, aussi. Et tu apprends sur toi, sur le contrôle des émotions. Je n'ai jamais eu autant besoin de prendre soin de moi depuis que je suis humoriste.»

Ce qui nous amène à parler de la pratique du yoga, une passion commune. «Dans le processus d'écriture, j'ai aussi été à la rencontre de moi-même. Les grands sages de ce monde le disent: il faut faire du yoga et de la méditation. J'ai commencé et j'en vois les bienfaits. J'évolue comme personne. C'est ça, le plaisir de l'existence», fait valoir Emmanuel.

Je reviens sur son interprétation de René Lévesque. Un talent foudroyant, avais-je pensé, quand j'ai découvert Bilodeau alors que j'étudiais en théâtre. Pour lui, ce n'est pas un rôle comme les autres. «J'étais en feu à l'audition pour rendre hommage à mon idole. J'avais entendu à travers les branches que Roy Dupuis avait été pressenti pour le jouer et qu'il avait décliné. Je me suis dit: quel cirque! Roy Dupuis est un très bon acteur, mais René Lévesque n'était pas beau. Ce n'était pas Ovila dans *Les filles de Caleb*! Roy, c'est un *sex-symbol*, et ça ne "fittait" pas. Il fallait aller ailleurs. Et finalement, c'est

moi, le gars pas beau au charisme quelconque, qui l'ai incarné!» Emmanuel devient de plus en plus animé. Sa passion pour l'icône québécoise est colossale. Il continue: «Je l'avais rencontré quand j'étais à *La Presse* comme jeune stagiaire. Et son neveu a été avec ma sœur pendant 20 ans. C'est le père de ses enfants. Il est un peu René Lévesque dans son tempérament... J'avais l'impression de connaître René Lévesque de l'intérieur.»

L'expérience, dit-il, fut bouleversante et grisante. «J'ai fait des cauchemars toutes les nuits jusqu'à temps qu'on commence les tournages. Ce n'était pas tant la pression de plaire ou de déplaire, mais de bien le rendre. De le faire en français ET en anglais. Et d'être dans toutes les scènes pendant 170 jours de tournage pour la série 1. C'était un gros défi physique! J'avais quelqu'un qui me "coachait" sur chaque mot, chaque intonation. Je passais mon temps avec les textes cachés dans le dos de mon veston. Ça paraît même dans certaines scènes!»

Bref, Lévesque, Bilodeau l'admire avec un grand A, et il partage ses convictions. «Toutes ses passions, je les chéris: la politique, le droit, changer le monde, le français, la souveraineté du Québec, la pérennité de nos valeurs... Tout ça m'allume autant que lui. Mais je n'ai pas son talent pour me battre. Je ne suis pas un batailleur.»

Entre le papa engagé qu'il est et sa vie professionnelle, le temps libre se fait rare. Difficile de s'imaginer qu'il pourrait inscrire une chose de plus à son horaire. Mais il y a bien une offre qu'il ne pourrait pas refuser si elle se présentait: un grand rôle au cinéma. «Pour moi, le cinéma est encore une forme d'art pure, très concentrée. C'est un langage difficile à maîtriser. Quand tu vois un grand scénario — ce qui est très rare —, tu as envie de le faire. Parce que quand tu vas au cinéma pendant deux heures et que tu capotes ta vie, tu es transporté. J'ai le goût de participer à ça!» Il évoque l'émotion qu'il a eue lorsqu'il a regardé *Biutiful*, d'Alejandro González Iñárritu. «Quand j'ai vu ce film-là, j'ai été bouleversé. J'ai beaucoup trop pleuré. C'était ridicule! Ce film était celui que j'aurais aimé faire. C'était touchant pour l'humain que j'étais.»

La conversation est fluide. Emmanuel est présent et authentique. Dans le dialogue, il revient souvent sur le bien-être et la santé, qui sont au cœur de sa vie. Son *One Manu Show* a entre autres contribué à une démarche intérieure. «J'ai attendu longtemps avant de me commettre comme créateur. Il ne faut pas attendre que ce soit parfait: il faut le faire. Tu vas être critique et critiqué, mais ce n'est pas grave. Qu'est-ce que ça va faire? Ton égo va en souffrir? Mais non! C'est courageux de le faire.»

C'est sur le même ton, et avec une grande générosité, qu'il me salue et porte un toast à mon aventure: celle que représente l'écriture de ce livre. «Si tu attends d'être certaine que ça va marcher, tu ne le feras jamais. Parce qu'il y aura toujours des gens qui vont critiquer de toute façon. Sois généreuse et fais-le pour partager des choses, des connaissances, des expériences. À ce moment-là, il ne peut pas t'arriver rien de bien terrible.»

Merci, Manu. *Namaste.*

Afrique du Sud, blanc ou rouge

Pour toi qui n'as pas eu le temps de parcourir les domaines viticoles lorsque tu as visité ce coin du monde. Cette luminosité que tu as tant aimée dans les yeux des gens, tu la retrouveras aussi dans les vins du pays.

Abritant de multiples microclimats, une géologie complexe et des sols qui ont plus de 650 millions d'années, les terres sud-africaines permettent aux vignerons de produire des vins aux styles diversifiés. Le potentiel est énorme, et depuis la fin de l'apartheid, les régions viticoles sont en pleine effervescence. Nombreux sont les producteurs passionnés et dynamiques qui innovent et qui réécrivent l'histoire d'un pays longtemps destiné à fabriquer des vins d'entrée de gamme.

Les vieilles vignes de chenin blanc sont un vrai trésor. Bien que le cépage s'exprime sous plusieurs formes, ce sont les vins secs, tranquilles et non boisés qui m'impressionnent le plus. En bouche, ils se révèlent beaucoup plus généreux que ceux qu'on trouve dans les appellations fétiches du Val de Loire. Mon cœur va vers ceux dont la minéralité et l'acidité soutiennent les notes ensoleillées de fruits à noyau, de coing et de camomille.

Manu, parce que tu aimes les vins chargés d'émotion, il te sera difficile de rester insensible devant tant d'histoire. Une leçon de courage. Les chenins blancs feront particulièrement bon ménage avec les plats de poisson au cari et au lait de coco que tu aimes cuisiner.

LES BONNES ÉTIQUETTES

Adi Badenhorst
Sadie Family
Mullineux
Reyneke
Newton Johnson
Leeuwenkuil
Sijnn
Keermont
Porseleinberg

EMMANUEL BILODEAU

Cidres du Québec

Le cidre fait partie de notre patrimoine depuis longtemps. Les premiers verger et pressoir sont apparus en 1650, sur le mont Royal. Mais les bas prix et la piètre qualité des produits dans les années 1970 ont terni la réputation de ces jus. Pourtant, aujourd'hui, le Québec compte 80 cidreries, dont plusieurs fabriquent des produits d'exception. Notre climat et nos variétés de pommes contribuent à l'acidité mordante nécessaire pour fabriquer du cidre de qualité.

Les domaines sont principalement situés en Montérégie, dans la région de Québec, dans les Cantons-de-l'Est et dans les Laurentides. Tous offrent une destination idéale pour une visite à vélo en famille, ton moyen de transport de prédilection. Tes enfants pourront manger les pommes pendant que ta femme et toi dégusterez les produits de la région. Tranquilles, effervescents, rosés, cidres de glace ou cidres de feu: tous les types méritent d'être célébrés.

Pour le patriotique et l'environnementaliste en toi. Tu te souviendras.

Banyuls

Le chocolat est l'un des aliments les plus difficiles à marier avec le vin. Sucré et enveloppant, son goût colle longtemps aux papilles. Il faut donc un vin tout aussi sucré, ou alors plus sucré, pour lui tenir compagnie. J'affectionne particulièrement les vins fortifiés de l'appellation de Banyuls. Sous le soleil chaud des coteaux de la région du Roussillon, en France, le grenache joue le rôle principal. De petits rendements et une vendange tardive alors que les raisins sont généralement déshydratés contribuent entre autres à l'intensité des vins doux naturels. Un spiritueux (brandy) est ajouté pendant la fermentation, quand le moût est encore en contact avec la peau du raisin. L'alcool du spiritueux tue les levures et arrête la fermentation avant que tous les sucres aient eu la chance de se convertir en alcool. Le tout donne un vin sucré, dont les notes chocolatées et de cassis sont en parfaite symbiose avec les notes de garrigue qu'on associe au grenache.

Pour le «chocoholique» en toi. Je sais qu'il y a une armoire dans ta cuisine qui est fermée avec un cadenas pour empêcher que le diable du chocolat te tente trop souvent! Mais comme tu as le numéro de la combine, il te faudra avoir la bouteille appropriée pour accompagner tes moments de faiblesse. Vas-y et pèche. Parce que c'est si bon!

Magalie Lépine-Blondeau

**DISCRÈTE   AVENTURIÈRE
CURIEUSE   SENSIBLE**

DIS-MOI QUI TU ES, JE TE DIRAI QUOI BOIRE

Si plusieurs l'ont connue grâce à son rôle de Nadine dans la série *District 31*, c'est lorsqu'elle était sur les planches du Théâtre Jean-Duceppe, pour jouer dans *Les liaisons dangereuses*, que j'ai découvert le talent de Magalie Lépine-Blondeau. Sa sensibilité m'avait ensuite touchée dans ses entrevues radiophoniques et télévisées. Le matin de notre rencontre, lorsque j'arrive 15 minutes en retard au joli Café Parvis, à Montréal, elle m'accueille avec cette même délicatesse. «J'étais vraiment touchée que tu me choisisses. Surtout que tu m'as découverte au théâtre et non pas à la télé.» C'est moi qui suis émue.

Je sais que Magalie et moi avons toutes les deux la soif du voyage. C'est également pour cette raison que je voulais venir à sa rencontre. Lorsqu'on part souvent, notre regard sur le monde change… L'exploration du globe fait partie de l'hygiène de vie de l'actrice depuis qu'elle est toute jeune. Elle arrive justement du Portugal: «Aussitôt que j'ai un projet prenant, je calcule le temps qu'il faut pour partir après, pour me ressourcer. Je considère que c'est important. La curiosité, c'est la qualité première d'un interprète. On est notre matière première. Je ne comprends pas ce qu'on peut raconter si on ne se ressource pas, si on ne s'abreuve pas d'autres façons de penser et de voir le monde, et si on ne va pas à la rencontre des gens. Quand je voyage, j'ai l'impression de travailler mes références.»

Elle a déjà parcouru 40 pays, parmi lesquels on trouve certaines destinations audacieuses. Ceux qui ont écouté l'émission *Partir autrement*, sur les ondes de TV5, ont pu être témoins de son côté téméraire. Un des souvenirs les plus mémorables de la comédienne témoigne d'ailleurs de son réel désir de rencontrer l'autre. «La chaîne TV5 m'avait approchée parce qu'elle savait que j'étais une grande voyageuse. C'était une chance inouïe. Il y a des endroits que j'avais envie d'explorer, mais je ne savais pas quand ça aurait pu s'inscrire dans ma vie — comme la Papouasie-Nouvelle-Guinée. On est allés dans les hautes terres, et j'ai passé la semaine avec les Huli, la tribu des hommes à perruque. C'est très particulier, car c'est l'un des derniers peuples à être entré en contact avec l'homme blanc. Ça s'est passé dans les années 1930 et c'est documenté.» Passionnée, Magalie poursuit sur sa lancée: «La Papouasie-Nouvelle-Guinée est un petit pays, mais on y parle 800 langues et dialectes. C'est très difficile de se déplacer à l'intérieur des terres. D'ailleurs, presque tous les transports s'effectuent par avion. Les routes ne sont pas vraiment construites. Ce n'est pas si peuplé et les gens sont très isolés, ce qui explique pourquoi il y a très peu de mixité et pourquoi on y parle autant de langues. Dans ces régions-là sévissent encore des guerres tribales. La dot des femmes est encore payée en cochons: on échange les femmes pour des cochons. J'ai assisté à ça! Les hommes vivent ensemble, dans une même maison. Chez les Huli, le mode de vie est un peu calqué sur le mode de vie des oiseaux de paradis. Ils consacrent leur vie à prendre soin des plumes et à créer de très beaux ornements pendant que les femmes vivent de façon isolée, à cultiver les patates et à élever les enfants. Elles n'ont pas le droit de mettre les pieds dans la maison des hommes. C'est très choquant comme expérience et très dur... En même temps, ça fait partie de ce qui existe sur la Terre. Je suis fascinée et très reconnaissante d'avoir eu la chance d'aller à la rencontre de ces êtres humains-là.» Des histoires comme celle-là, elle en a plein son sac à dos.

On revient au pays et on parle boulot — de son amour originel pour le théâtre, surtout, et de Serge Denoncourt, qui lui a donné sa première chance. «Je pense qu'il a vu en moi une qualité d'interprète que certains n'avaient pas soupçonnée. Serge m'a permis de devenir l'actrice que je suis aujourd'hui. Il m'a fait confiance... Je pense qu'on a fait huit pièces ensemble, et d'un rôle à l'autre, j'ai toujours l'impression qu'il me permet de me renouveler», dit-elle remplie de gratitude. Entre les éloges des artistes qui ont travaillé avec Denoncourt et le personnage provocateur qu'on voit à la télé, il semble y avoir un monde que Magalie explique: «Il est un monument de connaissances théâtrales et de référents culturels. C'est un cerveau vraiment particulier. C'est un joyau, ce cerveau-là! Mais c'est un agent provocateur; c'est ce qui fait sa force. Dans la vie, ce n'est pas quelqu'un qui a de la facilité avec les gens. C'est ce ton-là qui nous brusque. Ça parle probablement de son inconfort à lui, de sa timidité... C'est fou à quel point dans une salle de répétition, il a l'intelligence d'interagir différemment avec chacun de ses acteurs. C'est comme si, à l'intérieur d'une telle salle, toutes ses barrières tombaient. Il a une acuité pour comprendre l'âme humaine.»

En voyage comme au théâtre, «l'autre» demeure le noyau de ce qui captive la belle... Les failles qu'on peut y déceler, surtout. «C'est là que je trouve que l'être humain est intéressant: dans ses fragilités. Il y a tout ce qu'il dégage, mais il y a aussi ce qu'il s'efforce de cacher. Ça m'attendrit, ça me touche, et c'est ça que j'essaie de construire; ça crée des nuances, des couches intérieures. La salle de répétition, c'est ce que j'aime par-dessus tout. Elle sert à étoffer ça, à ce que les personnages prennent racine. Cet espace où tout est possible, et où l'on peut se mettre en danger avec un filet de sûreté... Cet endroit où l'on sonde l'âme humaine, ses travers.»

Pour l'actrice, le désir de comprendre «l'autre» permet de l'incarner plus facilement. Une grande qualité, qui contribue inévitablement au succès de Magalie. Mais au Québec, quand on aime, on devient obsessif. Un coup de cœur pour un artiste se manifeste en amour disproportionné, en surexposition qui peut vite mener à une *overdose*... et Magalie en est consciente. «Il faut faire des apparitions avec parcimonie. Moi, j'ai très peur de cette surexposition-là. D'abord, ce n'est pas moi que je veux mettre en avant: ce sont mes personnages. Par contre, plus on te voit, plus on veut te voir. On veut te voir dans tous les quiz et on veut ton opinion sur tout.

On veut te voir sur photo, dans le *7 Jours*, dans les émissions de voyages... jusqu'à ce que finalement, on soit saturé de ta présence. Il faut savoir que ça nous guette, dans un tout petit marché. Ça fait 12 ans que j'exerce mon métier et chaque fois, c'est un apprentissage nouveau, un apprentissage de soi: composer avec le vertige du néant, ou alors le vertige de la popularité soudaine. C'est sûr que je dois réfléchir à la suite. On vit, dans notre métier, au gré du désir des autres. Le désir des autres de travailler avec nous, de ce qu'ils projettent sur nous. On est toujours un peu à la merci de ça... Moi, je veux tenir les rênes de ma vie», explique l'artiste, qui démontre une certaine vulnérabilité.

Cela explique sans doute que l'intimité que le public peut avoir avec Magalie se limite aux histoires des personnages qu'elle incarne. Elle arrive à garder une vie privée, même si on cogne sans cesse à sa porte. «C'est de savoir la fermer, explique-t-elle. Je n'ai pas envie de m'éparpiller. Ce que j'avais envie de faire dans la vie, c'est de jouer, et j'ai la chance de faire ça. Le reste, c'est accessoire. Il y a des émissions auxquelles j'ai envie de participer. J'avais envie de cette rencontre-là avec toi aujourd'hui, mais tout ça, c'est conforme à mes désirs, et je n'ai pas l'impression que ça fait obstacle aux personnages et aux histoires que je raconte ou que je pourrai éventuellement raconter. De me mettre en l'avant, moi, mes amours, mes achats, ce que je mange pour déjeuner ou mes problèmes digestifs, je ne trouve pas ça du tout intéressant. Ce n'est pas par envie de cultiver le mystère, mais plutôt par souci de créer une aura de protection autour de mes personnages. Pour ne pas qu'on pense à mon amoureux, à mes amis, à ma Vespa lorsque l'on regarde mon personnage souffrir ou tomber amoureuse. C'est ça qui m'importe... Ça, et éviter aussi l'intrusion. Rapidement, je me sens fragilisée par ça.»

Cette discrétion, on la discerne même sur son compte Instagram. Les paysages et les lieux inspirants remplissent les cadres beaucoup plus que les *selfies*. «Cette espèce de narcissisme qu'on voit partout, c'est un mal qu'on porte et c'est très inquiétant. J'aime la plate-forme Instagram. J'adore la photographie et je m'y intéresse depuis toujours. J'aime bien documenter mes voyages, mais tu me vois très peu sur mes photos. Je trouve ça plus intéressant de tourner mon appareil vers la nature, l'art et ce que l'architecture a à nous offrir. Les gens sentent le besoin de mettre leur vie en scène, comme s'il fallait être dans la démonstration de sa vie plutôt que dans l'"être". Un de mes amis dit: la vie, ce n'est pas une pratique. Il a raison — on ne peut pas reprendre une scène... C'est maintenant, et ça ne se mesure pas aux *likes*. On est à l'ère où l'opinion fait couler plus d'encre que la nouvelle, et il y a un manque de contenu. C'est désespérant.»

Une chose me frappe depuis le début de l'entrevue: Magalie maîtrise véritablement l'art du discours. Derrière son agilité linguistique, je soupçonne une passion pour la lecture. Elle acquiesce: «Mon meilleur ami littéraire, c'est Dany Laferrière. Il a accompagné toutes les périodes de ma vie. Cette plume-là est en apparence tellement simple, mais elle raconte des choses très profondes. Il y a une délicatesse chez lui qui est vraiment rare et dont on a besoin. Sa plume est tellement douce. Alors Dany Laferrière: toujours...»

Lentement, l'entrevue se transforme en conversation sur la philosophie autour d'un dîner au Furco. Des gens qui ont de l'écoute, c'est de plus en plus rare. Et c'est d'autant plus admirable lorsque cette qualité appartient à quelqu'un qui a constamment la caméra tournée vers elle. Oui, la femme que j'ai perçue sur les planches et à l'écran, c'est celle que j'ai retrouvée devant mon cappuccino.

Vivre en pleine conscience. Voilà ce que semble faire l'artiste... Et quand elle parle d'avenir, Magalie parle surtout de la femme qu'elle veut devenir: «Moi, je suis très attirée par les pôles. Ce sentiment d'extase, d'excès, ça entraîne aussi des périodes semi-dépressives. J'ai envie de conserver cette attirance pour ces forces d'attraction et, aussi, de trouver l'équilibre pour être plus heureuse, plus tempérée; que ce soit moins déchirant. En vieillissant, ça semble se faire sans trop y réfléchir. Parce que je me connais mieux, parce que je suis davantage mes instincts. Je me suis rendu compte qu'ils étaient assez bons et qu'ils me dirigeaient vers ce qui m'importe et ce qui me ressemble vraiment. C'est très facile, dans mon métier, dans la société actuelle — et parce que les êtres humains sont ce qu'ils sont... —, d'être égoïste. Je veux être cette femme qui voit les autres; je veux qu'ils m'importent.»

Vins portugais

Le projecteur est depuis peu braqué sur le Portugal. Lisbonne est devenue l'une des destinations les plus convoitées par les voyageurs, et la proximité des régions viticoles donne la chance aux visiteurs de parcourir les vignobles. Or, cette lumière sur le pays voisin de l'Espagne est récente. Sa situation géographique et le contexte politique ont fait en sorte que le Portugal a été longtemps isolé. Mais depuis les 15 dernières années, on ne parle plus uniquement que des excellents portos du pays. Le dynamisme des vignerons et des investissements majeurs ont donné la chance aux domaines de faire briller leurs vins de table sur la scène internationale. Leur plus grand atout? La grande variété de cépages autochtones. Des bulles délicates aux vins blancs légers en passant par les rosés charnus et les rouges charpentés, on trouve des vins typés, portant la signature unique des Portugais.

Baga (Bairrada)

LES BONNES ÉTIQUETTES

Luís Pato a été l'un des premiers producteurs à porter le flambeau du baga. Il est un peu «le Parrain» de la région.

Luís Pato
Filipa Pato
Niepoort
Quinta de Foz de Arouce

Ma chère Magalie, une suggestion pour toi qui préfères les rouges exsudant une fraîcheur. La région de Bairrada est située dans le nord du pays, entre la région montagneuse du Dão et l'Atlantique. Le baga est le cépage rouge qui fleurit dans ce climat océanique tempéré. Il s'épanouit particulièrement sur les sols argilo-calcaires. Si, à l'époque, ces vins rouges étaient rustiques, souvent astringents, riches et difficiles à boire, ils figurent désormais parmi les trésors du pays. L'avancement technologique et de meilleures techniques employées en viticulture comme dans la cave y sont pour beaucoup. Les plus beaux Bairrada tinto offrent des arômes de prune rouge et de cerise; puis, avec les années, viennent s'ajouter des notes de tabac sucré, de cuir, d'olive noire, d'herbes séchées et de goudron. Pour moi, le baga est un cépage envoûtant, dont l'acidité élevée et la structure tannique me rappellent un peu les nebbiolos du Piémont. Un vin qui a de la profondeur et qui a beaucoup de choses à raconter. *Saúde!*

«J'aime beaucoup le jazz; j'aime aussi le rock, le rap. Je suis une amoureuse des vieux sons, des vieux enregistrements pleins de grains, pleins de profondeur... On a quelques tables tournantes chez nous. Je découvre ce support-là, comme un retour aux sources. Le côté un peu sacré, le rituel d'écouter de la musique — pas de la consommer. C'est un rapport charnel et sensuel.»

— Magalie Lépine-Blondeau au sujet de la musique

Pinot noir de la Patagonie — Argentine

Cet endroit du monde me semble absolument parfait pour toi. Hors des sentiers battus, il offre des vins tout aussi captivants que l'exotisme des lieux et la beauté des pingouins. Depuis la dernière décennie, c'est surtout le pinot noir qui fait couler de l'encre. Dotée d'un climat continental et d'une luminosité hors du commun, la Patagonie bénéficie d'une amplitude thermique qui permet aux raisins de préserver une acidité élevée. Grâce aux vents de l'ouest et du sud-est, le pinot noir acquiert une peau plus épaisse, ce qui s'exprime par des vins plus colorés que ceux auxquels on associe généralement le pinot. Neuquén, La Pampa, Chubut et Río Negro forment les sous-régions de la Patagonie.

Ces pinots noirs sont à la fois élégants et généreux en fruit, avec des notes de fraise sauvage et de cerise rouge. Ils ont des tannins souples et légers, et les meilleurs exemples sont dotés d'une texture soyeuse qui enveloppe la bouche. Des charmeurs aux courbes séduisantes!

LA BONNE ÉTIQUETTE

Bodega Chacra

Piero Incisa della Rocchetta est tombé complètement amoureux du village de Mainqué, à Río Negro, lorsqu'il y a mis les pieds pour la première fois. Le côté sauvage de l'endroit et les vieilles vignes l'ont renversé. À la suite de sa visite, il a fondé Chacra, en 2004. Il cultive la vigne en suivant le modèle de la biodynamie et il détient une certification biologique. Il suffit de savourer un verre d'une bouteille de Chacra pour comprendre toute l'essence de la région.

Pedro Parra — Chili

Pour toi qui as toujours soif de rencontres, je te présente quelqu'un qui m'a marqué. En plus d'être l'un des plus grands «terroiristes» du monde, il est passionné de jazz. Sa philosophie est tout aussi intéressante lorsqu'il parle de sols que lorsqu'il discute de musique. Les vieux sons risquent fortement d'accompagner vos conversations si tu te rends sur ses terres chiliennes.

Pedro Parra détient un doctorat sur le terroir de l'Institut national agronomique Paris-Grignon et une maîtrise en précision de l'agriculture de la même école. Il est sans doute l'un des êtres les plus inspirants que j'ai rencontrés au fil des années. Sa sensibilité et son intuition sont soutenues par une recherche constante en vue de comprendre et d'expliquer la relation entre le sol et le vin. Sa demeure est située à Concepción, au Chili, mais Pedro parcourt le monde pour partager son expertise.

LES BONNES ÉTIQUETTES

Clos des Fous — la gamme au complet. Blancs ou rouges!

L'une de ses missions est de faire découvrir le Chili autrement. Ce pays — qui était à l'origine connu pour ses vins souvent fatigants, charpentés et riches en alcool — est aussi capable d'en produire qui sont frais et élégants. En choisissant des vignobles dans des terroirs plus extrêmes (soit par leur altitude, leur latitude ou leur proximité avec l'Atlantique), Pedro Parra élabore des vins qui sont à l'image du nouveau Chili. C'est sous l'étiquette Clos des Fous, projet entrepris en 2008, qu'on peut découvrir sa gamme. Je te recommande de visiter son site Web. Tu pourras non seulement voir l'emplacement de ses parcelles, mais en apprendre un peu plus sur le personnage et sur son amour pour le jazz. Le Chili à son meilleur.

LOUIS-JEAN CORMIER

Louis-Jean Cormier

**CABOTIN   ÉMOTIF
GOURMAND   INTROSPECTIF**

La voix est douce et le ton, mélancolique. Les paroles captent l'attention. La chanson *L'ascenseur* a été ma tanière lorsque le camion de déménagement qui venait de traverser le Canada s'est pointé devant ma porte, sur le Plateau-Mont-Royal. «Ça prend autant de folie que de courage», y entend-on...

J'ai mis un moment à faire le lien entre Karkwa et les compositions de l'album *Le treizième étage* qui essoufflaient mon iPhone tellement je les écoutais. Aujourd'hui, entourée de vinyles au bar Le record, j'interroge Louis-Jean sur ce qui me semble être une métamorphose musicale. «Il fallait que je m'identifie. Plus j'avance dans ce milieu, plus je me rends compte à quel point la plus grande des démarches dans tout ça, ce n'est pas d'écrire la meilleure chanson du monde ou de faire le disque le plus homogène: c'est de trouver son identité en tant qu'artiste. À l'époque de Karkwa, j'avais décidé que j'allais faire un disque solo. Je suis bon quand je chante des chansons plus fragiles, plus cérébrales ou plus émotives. J'ai compris dans quoi j'étais le plus convaincant et le plus à l'aise. Mon bagage familial est rempli de chansons. Il y a 35 ans, mon cousin Alan Côté a créé le Festival en chanson de Petite-Vallée, en Gaspésie. J'ai grandi avec les Michel Rivard, Jim Corcoran, Pierre Flynn, Richard Séguin... C'est sûr que j'ai ça en moi. Je ne suis pas prêt à tourner la page, à balayer ça du revers de la main en disant: "Je fais de la musique *fuckée*". Mais en même temps, je viens du jazz pis de la musique *fuckée* aussi. J'essaie de marier tout ça. C'est ça, mon but.»

Les couleurs musicales de Louis-Jean sont teintées non seulement des nuances d'une enfance en chansons, de Karkwa, mais de son passage au cégep de Saint-Laurent. «J'ai aussi un passé de musique classique. Mon père est chef de chœur, mon frère est violoniste et moi, j'ai fait 10 ou 12 ans de piano classique, et aussi de la guitare classique. Après ça, j'ai commencé à prendre de la drogue (rires) et à faire du rock, du jazz... Je trippais sur le jazz. Je voulais faire mes études à Montréal, à Saint-Laurent [NDLR: il a grandi à Sept-Îles] — pas pour devenir musicien de jazz, mais pour faire mon premier métier, qui était vraiment la réalisation d'albums. Arranger, enregistrer et même être guitariste-accompagnateur. Je n'avais pas tant l'idée de devenir une *rockstar*, un chanteur populaire...»

Si Louis-Jean a fait naître de beaux albums solo dans les dernières années, les collaborations demeurent importantes pour lui. Derrière cette image d'âme solitaire se cache un homme qui a grandement besoin d'être entouré, de partager. On le sent bien dans son discours. «Je trouve que c'est le parallèle parfait à faire entre la musique et le vin. C'est cool de boire un bon vin tout seul, mais c'est nettement plus cool de le boire à deux ou à trois. Ce qui est beau dans la musique, c'est que c'est un langage complet en soi. Et tant qu'à avoir une langue, mieux vaut la parler en gang, engager le dialogue. La musique amène ça. Ce que le jazz m'a appris, c'est la notion de la conversation musicale. Je trouve qu'il y a de quoi de terriblement excitant dans la création spontanée, dans l'improvisation.»

Est-ce que le *jam session* est une métaphore de la vie de Louis-Jean? Si sa ligne musicale semble plus définie, sa participation à des projets télé tels que *La voix* et *Microphone* laissent croire que la quête du chanteur est loin d'être terminée. «C'est un amalgame. Je pense que je suis à la bonne place, mais je pense que je n'aurai jamais fini de me chercher. J'ai vraiment besoin de faire un troisième album solo, mais en même temps, je suis excité à l'idée de réunir les gars de Karkwa pour faire de quoi en studio. Je suis encore en train de réfléchir à ce que je te disais tout à l'heure, au sujet de ma propre identité, à ce dans quoi je suis le meilleur. En fin de compte, c'est un peu un travail de réalisateur et de directeur artistique de dire à quelqu'un: "Ça, ce que tu fais là, c'est ce dans quoi t'es le meilleur." Ce rôle de réalisateur, on dirait que je ne l'ai jamais fait pour moi. Finalement, on a tous besoin de sincérité. Là où je me crois le plus, dans lequel je suis le meilleur, je pense que je suis tranquillement en train de le trouver.»

Louis-Jean Cormier propose une musique très imagée. Je me suis longuement demandé s'il avait de l'intérêt pour les arts visuels. «Tu vois, je réfléchissais à ça ce matin: à l'idée de retourner aux études, dans la vie en général. Juste pour me dire que je pourrais finir un diplôme que je n'ai pas fini, ou pour le *trip* d'aller étudier. Et les arts visuels, c'est quelque chose que j'aurais aimé apprendre. J'aime m'acheter des toiles. C'est important pour moi que

la musique, ça ne soit pas que de la musique, puis qu'une toile ne soit pas qu'une toile. Je trouve que le cinéma, de par sa facture et sa conception, c'est vraiment un art complet. Parce que t'as du son, de l'image; t'es stimulé par tout, et ça bouge. Je trouve que la musique, ça doit être imagé, et qu'une toile, ça doit être presque un poème sous-entendu. J'ai besoin de poésie, d'images.»

On arrête l'entrevue pour un intermède vinicole. Je verse un verre de garnacha de la région de Calatayud, que j'ai rapporté de mon dernier voyage en Espagne. Ses yeux pétillent: il devient animé. Amoureux du vin, de la bonne bouffe et du café, Louis-Jean a toutes les qualités du gourmand. Je profite du toast pour lui avouer que sa jovialité me surprend, que je m'attendais à un personnage plus mélancolique. «Pas tant, non. Je suis plutôt positif et ouvert. Je sais que les gens pensent que je le suis, ténébreux, par la musique, et que je suis un peu dépressif. Mais j'aime la musique sérieuse. On disait ça à la blague, dans le temps, avec Karkwa: la musique, c'est pas drôle! Je préfère Nick Cave à La Compagnie créole. Mais j'aime rire et danser. En fait, je suis plutôt cabotin; c'est ça que j'ai compris avec le temps. Je suis toujours en train de désamorcer une situation complexe avec un gros *call* vulgaire et niaiseux.»

Cette histoire de musique «sérieuse» nous amène à parler d'Erik Satie, un compositeur que nous affectionnons tous les deux. J'ai d'ailleurs écrit presque la moitié des mots de ce livre en écoutant ses albums. L'espace entre les notes dans les œuvres de ce musicien apaise l'âme. «Il y a de l'oxygène dans sa musique et de l'air. Ce que j'ai compris avec Satie il n'y a pas si longtemps, c'est que quand tu connais la pièce, dans la lenteur, ça devient encore plus excitant, parce que tu sais quel accord s'en vient. Pis quand ça tombe, tu fais: "Ah oui! C'est ça, c'était écœurant!" Il prend son temps pour nous amener quelque part. C'est mon ami Martin Léon qui disait que le meilleur musicien du *band*, c'est quand même le silence... Faut pas sous-estimer le talent du silence dans la chanson, sa force; je travaille là-dessus...»

À mes yeux, son discours détonne avec sa décision de participer à *La voix*. Je me surprends à trouver cela étrange qu'il se soit retrouvé à cette émission. La musicienne en moi est sceptique quant au message que cette émission populaire véhicule auprès des jeunes artistes et des téléspectateurs. «Je pense qu'on ressort de là... (long silence) 50-50. Quand je me suis fait offrir le *trip*, je me suis demandé si j'étais capable de traverser une fois pour aller voir ce que ça dit à l'intérieur, pour en ressortir et dire si c'est cool ou pas. Il y avait une forme d'étude sociologique là-dedans. C'est qui, ce monde-là: les gens qui "mangent" de *La voix* toute la semaine? Ils pensent comment? J'ai été vraiment surpris. Il y a plein de choses dans la vie qui vont te donner une vue d'ensemble. Mettons quand tu commences à sortir de ta ville natale pour aller ailleurs, la vision de ta ville natale quand t'es rendu à Montréal, tu fais: hé *boy*, c'est petit. Y'a juste une émission comme *La voix* pour te donner cette vision du Québec. Ça a été un grand cadeau et, en même temps, un mégachoc. Quand tu vis dans un milieu de mélomanes, que tu fais de la musique depuis toujours, tu te dis que c'est évident que tout le monde connaît Avec pas d'casque et Philippe Brach, et que Fred Fortin, c'est un monument. Pis tu te rends compte qu'au bout du compte, il y a une grande, grande, grande majorité de gens qui ne connaissent pas ça du tout... pis c'est normal! Mais on dirait que je ne l'ai jamais eu autant sur la gueule que là.»

Peut-être est-ce le vin qui délie la langue, mais j'ai l'impression que sur ce sujet, Louis-Jean en a long a dire — et ce, en dépit de ce qu'il peut y avoir dans le verre. «On ne peut pas non plus faire l'autruche en se disant: bon, on va faire un concours amateur, on va faire des superstars, et ces gens-là vont être catapultés au sommet des palmarès; ils vont vendre plein de disques, ils vont faire une tournée, et ils vont arrêter un an après parce qu'il y aura un nouvel "amateur" qui va se pointer. Il faut quand même se rappeler que pendant ce temps-là, y'a des artisans de la chanson qui travaillent dur depuis super longtemps, pis qui se font un petit peu couper l'herbe sous le pied par ces gens-là qui arrivent et qui sont propulsés par la télévision. En même temps, je ne suis pas en train de dire que les gagnants à *La voix* n'ont pas de talent. Ce n'est pas ça du tout! Ils n'ont généralement pas de métier; c'est très différent. Mais on est en train de discréditer un peu les vrais artisans de la musique dans la tête de Monsieur et Madame Tout-le-monde, et ça, c'est grave. Finalement, la musique, ce n'est pas de bien chanter une fois un dimanche soir. C'est d'aller chercher ton monde, de le fidéliser en faisant ce que t'aimes, en sortant ce que tu as envie d'extérioriser. C'est ça qui fait que les gens deviennent émus, qu'ils viennent te voir et qu'ils te suivent...»

À une époque où les choses ont rarement été aussi difficiles pour les musiciens, Louis-Jean choisit de prendre son micro non seulement pour nous émouvoir, mais pour revendiquer et nous rappeler à juste titre que d'acheter des albums et des billets pour un spectacle, c'est notre moyen à nous de montrer notre soutien. Merci, Louis-Jean, d'élever ta voix pour montrer la voie.

Condrieu

Située juste au sud de la Côte-Rôtie, dans le Rhône septentrional, la région de Condrieu est constituée de coteaux très pentus qui rendent le travail des viticulteurs difficile. L'érosion des sols est une menace constante, le travail de la vigne et les vendanges doivent nécessairement être faits à la main, et les rendements sont très petits. Bref, comme tu le dis si bien dans ta chanson *L'ascenseur*, «ça prend autant de folie que de courage». Ce à quoi j'ajouterais: «beaucoup d'amour».

La sueur des gens qui produisent ces nectars en minime quantité justifie le prix élevé de ces vins. Les courbes et les notes parfumées du condrieu telles que la pêche, l'abricot, la fleur d'oranger et le gingembre envoûtent spontanément. Ce caractère, on le doit au viognier, seul cépage permis dans l'appellation.

Ses arômes, son corps charpenté et son onctuosité font du condrieu un candidat parfait pour le homard. Et pour mourir de plaisir: la bisque de homard! Parfait pour toi, homme de Sept-Îles, qui as appris à pêcher, à faire cuire et à apprêter ce crustacé. Je sais qu'il n'a plus de secret pour toi, mais je doute que tu connaisses la magie de cet accord. Si le chardonnay bien en chair est le choix classique, le condrieu fait chavirer tout autant.

LES BONNES ÉTIQUETTES

Julien Pilon
Pierre Gaillard
Domaine Georges Vernay
François Villard
Yves Cuilleron
E. Guigal

En passant, l'interprétation du condrieu varie d'un producteur à l'autre. Certains sont plus gras et boisés, tandis que d'autres offrent une version sans maquillage, avec des notes minérales plus prononcées. Pose des questions avant ton achat pour que la bouteille soit à ton goût.

Barbera

Je me rappelle la chanson folklorique *Le bon vin m'endort* lorsque Louis-Jean me raconte qu'Alain Brumont, producteur réputé de la région de Madiran, dans le sud-ouest de la France, lui avait dit que ses bouteilles ont cette capacité de réveiller. Louis-Jean insiste en disant que c'est la vérité et qu'il a mis la théorie à l'épreuve plus d'une fois. Peut-on associer des états d'âme au vin? Bien sûr: je le fais constamment. Mais c'est toujours subjectif.

Pour moi, les vins qui sont dotés d'une acidité marquée éveillent — pensez à l'effet d'un sorbet au citron sur vos papilles gustatives. Dans les cépages rouges, la barbera est prisée pour son acidité élevée. On la trouve dans plusieurs régions d'Italie, mais c'est dans le Piémont qu'elle atteint des sommets, et particulièrement dans les appellations Barbera d'Asti DOCG et Barbera d'Alba DOC.

À une certaine époque, la barbera était le vin du peuple, des cols bleus. Simple, parfois dilué en saveur et élaboré dans un contenant neutre, ce vin n'avait aucune autre prétention que d'être consommé simplement. Mais une histoire à la Cendrillon a changé son sort depuis les années 1980-1990. On plante désormais la barbera sur de meilleures parcelles, on réduit le rendement de la vigne pour obtenir des raisins plus concentrés en arômes et, dans certains cas, on la fait vieillir en fûts de chêne français. Ces derniers viennent donner un côté épicé et ajouter une structure tannique à un cépage qui produit naturellement des vins avec des tannins assez légers.

Aujourd'hui, ces deux types de barbera coexistent. Mais peu importe le style, le vin sera toujours d'une couleur rubis foncé tirant sur le violet, et les arômes éclatants de mûre, de prune rouge et de cerise noire seront au rendez-vous. En version entrée de gamme, il est l'ami idéal du lundi et de la pizza. Son prix est tout aussi modeste. Sa variante plus complexe révèle le cépage dans toute sa profondeur, et elle a parfois besoin de quelques années en cave avant de se dévoiler entièrement. Un joyau pour le magret de canard que tu aimes tant préparer, cher Louis-Jean. À ajouter à ton répertoire lorsque tu voudras revivifier tes musiciens avant un spectacle!

LES BONNES ÉTIQUETTES

Elio Altare
Paolo Conterno
G.D. Vajra
Borgogno
Michele Chiarlo
Vietti
Mascarello
Fratelli Alessandria
Punset

Ode à R. López de Heredia Viña Tondonia

Grandir vient souvent avec des phases de rébellion. En quête de sa propre identité, on cherche à se dissocier de ses parents. Ce phénomène, on l'observe fréquemment avec les jeunes vignerons qui prennent les règnes du domaine familial... mais pas tous. Un matin, au début des années 2000, alors que j'étais dans une dégustation à Vancouver, se trouvait devant moi une femme fière de son héritage. J'étais émue. «Pourquoi voudrais-je changer les choses? Il y a une raison pour laquelle ma famille les a faites ainsi», m'avait alors dit Maria José López de Heredia.

À cette époque, le mouvement des vins nature prenait tout juste son envol (voyez le profil de Steven Guilbeault à la page 118). Alors que plusieurs retournaient aux méthodes ancestrales, le domaine familial de López de Heredia Viña Tondonia continuait tout simplement de faire ce qu'il avait toujours fait depuis l'ouverture de ses portes, en 1877.

La cave de cette maison est impressionnante et figée dans le temps. On y respire l'odeur du siècle dernier! La maison a sa propre tonnellerie, et les couloirs sont remplis de fûts de chêne américain qui honorent la tradition de la Rioja. Des toiles d'araignée recouvrent les bouteilles qui portent le sceau d'une coutume. Les vins sont mis en vente après plusieurs années de vieillissement à la cave. Le nombre d'années varie selon la cuvée et sa catégorie (Crianza, Reserva ou Gran Reserva), ce qui explique pourquoi on trouve — au moment où j'écris ces mots — des bouteilles du 1981 Gran Reserva à la SAQ.

Ces vins sont faits à partir de quatre vignobles (Viña Tondonia, Viña Bosconia, Viña Cubillo et Viña Gravonia), situés à Rioja Alta et dont la famille est propriétaire. On peut goûter aux nuances de chacun d'eux puisqu'ils sont embouteillés séparément. Par ailleurs, on dénote plusieurs subtilités entre les cuvées, mais l'élégance, la complexité et l'authenticité, de même qu'un caractère marqué par des notes oxydatives (mais agréables!), sont toujours présents. Voilà la Rioja dans toute la grâce qu'elle est en mesure d'exprimer, et que peu de vignerons parviennent à mettre en bouteille.

Cher Louis-Jean, carnivore et maître de la cuisson de la viande: les rouges de cette maison respectée de tous, chouchou des sommeliers, seront en parfaite symbiose avec ta côte de bœuf. À la tienne!

LA BONNE ÉTIQUETTE

R. López de Heredia
  Viña Tondonia

Les rosés et les blancs sont tout aussi grandioses que les rouges. Donc, la gamme au grand complet!

KIM THÚY

Kim Thúy

GUERRIÈRE   AMOUREUSE
LOYALE   LUMINEUSE

De noir vêtue, dans une création de Denis Gagnon, la guerrière m'avait bouleversée. Jusqu'à ce jour, j'ai encore cette image fracassante imprégnée dans la tête. Kim Thúy était de passage à l'émission *Tout le monde en parle* pour présenter son premier roman, *Ru*, une vérité cruelle embellie par l'espoir et la douceur de ses mots. L'auteure, je l'ai côtoyée pour un bref instant. L'amoureuse dévouée envers sa famille et ses proches; celle qui a ouvert ses portes pour parler de son fils autiste et du livre auquel elle a contribué pour que les gens comprennent un peu plus cette condition, c'est la seule Kim que je connaisse vraiment. La vie est généreuse, parfois. Elle m'a fait le don de cette grande amitié.

Kim est la seule personne au monde avec qui je bois de l'eau plutôt que du vin. Je peux en avaler des litres en sa compagnie, sans jamais me lasser. Si nos échanges ne se font pas entre minuit et 2 h du matin par messages textes, ils se passent assis sur un plancher de bois, dans un de nos salons, ou autour d'une table chargée de mets. Les minutes deviennent des heures. Le temps n'existe pas. On ferme tous les restaurants qu'on visite. La vie de Kim est remplie de péripéties aussi émouvantes qu'hilarantes. Me revient en tête cette histoire de petite culotte laissée dans un pot à plante juste avant qu'elle entre en scène pour accepter le Prix du Gouverneur général, parce qu'elle s'est aperçue qu'on la voyait à travers sa robe. Des anecdotes du genre, j'en ai tous les jours. Même une visite ensemble à la SAQ pour l'aider à renflouer le cellier de ses amis n'est jamais courte. La volubile Kim s'implique dans toutes les conversations.

Elle a son mot à dire quand on parle d'un vin, en discutant des notes imprégnées par la présence du fût de chêne. Elle confond fût de chêne et Fengcheng. Pas le même domaine. Vous ai-je dit que Kim Thúy ne boit pas d'alcool?

Ceux qui on vu le film *La vie est belle*, réalisé et interprété par Roberto Benigni, se rappelleront cette histoire touchante. La comédie dramatique italienne raconte l'histoire d'un père qui fait croire à son fils que le camp de concentration où ils se trouvent est en fait un jeu. Il veut que son enfant échappe à la réalité. Kim est ce genre de magicienne. Que ce soit dans ses mots, sur scène ou en entrevue, elle a la même capacité de faire croire que tout est enchanté. Pourtant, la vérité est là, devant nous. Mais l'auteure nous peint un monde imaginaire où les fragments de beauté, aussi petits soient-ils, prennent toute la place.

Nul ne peut avoir un passé tel que le sien sans en porter des cicatrices. Dans ses romans comme dans la vie, c'est en puisant au fond d'elle-même que Kim touche tous ceux qui la rencontrent. Dans son livre *Ru*, elle dit qu'elle met les lunettes de la vie: «Elles permettent de choisir, de voir ce que tu veux voir. En fait, les lunettes donnent une vision "tunnel" de la vie. T'as pas besoin de tout voir: tu choisis ce que tu veux bien voir. Je laisse tout ce qui est désagréable. Pas que je ne le voie pas, mais je ne mets pas la loupe dessus. Je le vois en flou, sur le côté; je trie. Un peu comme les coquelicots que je t'ai racontés à Paris. Je sais qu'il y a l'autoroute et je sais que c'est brun, que c'est pollué, mais je choisis de voir quelque chose, et là, j'ai choisi les coquelicots. Je n'ai vu que les coquelicots.» Un outil sans doute essentiel à la survie.

Ces lunettes, Kim les porte depuis qu'elle est toute petite. «On n'a jamais été séparés du monde des grands, au Vietnam. Les portes sont ouvertes, et tu entends les adultes parler; les femmes crier, injurier leur mari infidèle. Tu as un spectacle de la vie devant toi. Les femmes qui courent, qui lancent leurs babouches; la cuisine dans la rue; les enfants qui font pipi dehors... Des scènes du quotidien. Mais quand tu es jeune, tu ne vois pas tout: tu vois juste des morceaux de vie comme ça, et... Parce que toute la vie se déroule en public, quand les adultes veulent se confier, ils chuchotent, ou ils se placent derrière une porte. Mais ce qui est l'*fun*, au Vietnam, c'est que les portes sont souvent grillagées, ou sinon elles ont des fentes en haut, en bas, ou un gros trou de serrure à travers lequel tu peux voir. Il n'y a pas vraiment de secrets. Dès que tu chuchotes, tout le monde écoute.»

Les atrocités font partie de l'existence. Les mauvaises nouvelles engorgent sans cesse les bulletins de nouvelles et les réseaux sociaux. Mais Kim met l'accent sur une qualité de l'humanité que plusieurs essaient de brouiller: la bonté innée. «Contrairement à ce que l'on croit, ce n'est pas vrai qu'on piétine le plus fragile, le plus vulnérable. Dans la société, je pense que c'est le contraire. Oui, parfois, le réflexe, c'est d'aller intimider le plus faible. Mais je crois qu'humainement, le premier réflexe, c'est de tendre la main. J'ai compris ça assez rapidement. Je suis née faible, je suis née toute petite; je pesais cinq livres et je pleurais tout le temps. Et ce n'est pas que je jouais sur la fragilité: je l'étais vraiment. Au début, c'est vrai que j'étais complètement ignorée. Mais plus tard — peut-être au Québec, en fait —, ça a changé. Parce que j'étais toujours la plus petite dans une classe; je ne comprenais rien, j'étais celle qui avait besoin d'aide. Et tu réalises que finalement, c'est un avantage d'être plus petite, plus faible. Si tu vois un non-voyant qui veut traverser la rue, ton réflexe, c'est de demander à la personne si elle a besoin d'aide. Et c'est pour ça que ça ne me dérange pas d'être plus faible. J'ai confiance en l'humain. Si jamais je tombe, il y aura quelqu'un pour me ramasser.» Ce qui est certain, c'est que sa générosité à elle est démesurée. Elle n'arrive jamais les mains vides, se propose d'aller me chercher à l'aéroport entre ses deux vols et traîne une livraison de nourriture chaque fois que je suis malade ou débordée. Elle donne généreusement, mais elle reçoit difficilement. Kim n'a jamais besoin de rien.

Il y a un dicton qui dit que la vie apporte les embûches qu'on est capable de surmonter. Elle se dit faible, mais le destin a fait d'elle une force de la nature. Kim incarne le paradoxe dans tout son corps et son parcours. En commençant par le nom de sa mère: Thuy, qui veut dire «eau». Or, les eaux qu'ils l'ont guidée jusqu'à nous effrayaient Kim bien avant qu'elle s'enfuie du Vietnam avec sa famille. Étrange signe du destin. Mais comme, en vietnamien, un seul accent change la signification d'un mot, Kim voulait que sa mère écrive le sien avec un accent grave: Thùy, qui veut dire «délicat». La dentelle, elle l'appose sur ses mots et sur ceux qu'elle aime. Or, l'énergie contagieuse qui remplit une salle dès qu'elle y met les pieds, on ne peut pas la qualifier de délicate. Un tremblement de terre qui secoue tout. Finalement, l'écrivaine aura hérité de l'accent aigu: Thúy, qui signifie «beauté». Les Vietnamiens disent qu'on est le contraire de la signification de son nom. Je n'y crois pas. Kim est toujours belle. La première fois que je l'ai rencontrée, j'étais assise sur une chaise de maquillage. J'avais les yeux fermés. J'ai ressenti sa beauté même avant de la voir. «On peut être née pas nécessairement belle, mais on peut le devenir. On peut devenir une belle personne. Je pense que ma mère m'a transmis cette lucidité, et je la remercie encore aujourd'hui», me dit Kim avec cette humilité qui l'accompagne à chaque souffle.

Le destin n'a jamais cessé de contester sa nature. L'océan qui l'apeure l'a sauvée, et l'inconnu des voyages qui la terrifie lui permet de transmettre son message au monde entier. Elle voudrait profiter du sommeil, mais elle ne dort JAMAIS... parce que sa vie familiale est tout aussi exigeante que son horaire de travail. Elle me dit que la vie la punit, la force à continuer malgré sa peur de tout. Elle veut dormir; le sort la secoue et nous réveille tous un peu plus.

Notre pays, ce n'est pas un pays, c'est l'hiver. Ça aussi, c'est terrifiant pour une petite immigrante qui arrive du Vietnam. «Oui, tu as peur de tout en même temps, tu ne comprends pas le froid. Le vent... Ta peau, c'est la première fois qu'elle sent le vent. Tu ne sais même pas comment interpréter cette sensation-là. C'est un choc sur tous les plans. Ce qui est bien, c'est que quand tu as trop peur, tu n'as plus peur! Ma mère, la leçon qu'elle a créée pour moi — parce que j'ai peur de tout, depuis toute petite —, c'est: quand tu as peur, c'est exactement le moment où tu dois plonger. Parce que le monstre devant toi qui fait peur, si tu t'approches assez, tu vas voir que ce n'est pas un monstre; ou sinon, quand tu t'approches assez, tu vas voir juste un petit bout du monstre... Là, tu ne reconnaîtras plus le monstre: tu reconnaîtras juste le coude, alors tu ne peux plus avoir peur. C'est comme une montagne: de loin, ça a l'air haut, mais si tu t'approches et que tu fais un pas à la fois, tu ne vois pas le sommet. Quand tu grimpes, tu ne regardes pas en bas: c'est le vertige. Et, en haut, tu te décourages, alors regarde juste là où tu es. Quand tu as peur, tu t'approches *full spin* le plus possible.»

Les souvenirs de mon amie sont imprégnés de goûts et d'odeurs. Elle les capte à merveille et elle les traduit en poésie. J'ai des pages complètes de citations qui m'inspirent, comme celle-ci, glanée dans *Mãn* (page 77): «L'histoire de la fillette de neuf ans emprisonnée pendant plusieurs mois après avoir tenté de fuir en bateau expliquait mieux le goût de la soupe aux tomates et au persil que l'image qui accompagnait la recette.»

Les Vietnamiens divisent les aliments en deux catégories: le chaud et le froid. L'amertume est une saveur dont Kim parle souvent. Dans l'un de ses romans, en faisant référence à son goût pour l'amertume, elle écrit: «Je voulais éviter les sensations extrêmes.» C'est, en quelque sorte, un anesthésiant. L'amertume entre dans la catégorie du froid. Au contraire, le chaud est associé au désir et à tout ce qui plaît. Mais on ne peut jamais chasser les émotions fortes pendant des années... La vie nous rattrape et nous piège. L'acuité intellectuelle de Kim frappe lorsqu'elle dirige les entrevues, alors que c'est elle qui se fait interviewer. Son baccalauréat en droit est un bon outil, mais c'est le volcan qu'elle porte qui lui permet de soulever des passions et de l'espoir chez les gens. Comme elle me l'a souvent dit: la beauté rappelle l'horreur. «Quand tu atterris à Mirabel et que tu vois toute cette neige autour, quand on va en forêt ou sur un lac gelé, il y a l'odeur de la pureté. Et cette odeur-là n'existait pas dans le registre de la petite Vietnamienne que j'étais. À Saigon, il n'y avait pas de pollution comme telle, mais de la poussière. J'allais dire guerre, parce que la guerre aussi a une odeur. Même si ce n'est pas sur un champ de bataille, quand un pays est en guerre, il y a une odeur. C'est une odeur chaude; la couleur que j'ai, c'est orange. Peut-être que c'est l'odeur de la peur... De mon arrivée ici, c'est vraiment l'odeur de la pureté qui me reste en tête.»

Le Québec a fait sienne cette battante qui porte l'humilité bien au-delà de sa signification. Mais quand on est immigrant, notre maison n'est jamais complètement ancrée. Ma très chère amie, tu es un modèle pour tous. Tout autant pour tes lecteurs que pour tes enfants, tes amis et tous ceux qui ont la chance de te croiser sur leur chemin. Chaque fois que j'ai le goût de baisser les bras, je pense à toi. Dès notre deuxième rencontre, tu m'as demandé d'être grande et d'être à la hauteur de la personne que j'étais. Merci de me tenir la main. Tous les jours, tu me rends un peu plus grande.

«Grâce à l'exil, mes enfants n'ont jamais été le prolongement de moi, de mon histoire.»

KIM THÚY

Pas d'alcool pour toi, chère Kim. Mais toute bonne chose ne se doit pas d'être nécessairement alcoolisée.

Thé pu'erh

Les descriptions imagées dans chacun de tes livres font souvent référence à des odeurs. Quand j'ai lu *Ru*, ce sont les arômes du thé pu'erh auxquels je pensais. Comme *Ru*, le thé pu'erh raconte l'histoire de ses terres. Le raffinement est gage du temps, la patience est une vertu.

Souvent comparés au vin, les plus grands thés pu'erh se bonifient avec les années. Plus ils sont vieux, plus ils deviennent rares, et les grands crus peuvent se vendre très cher. Certains millésimes qu'on trouve sur le marché peuvent avoir de 40 à 50 ans d'âge, voire 100 ans.

Ce thé a hérité de son nom du carrefour commercial important de la province du Yunnan, dans le sud-ouest de la Chine. À l'époque, on compressait les feuilles de thé vert en galettes pour en faciliter le transport sur la route du thé reliant le Yunnan au Tibet, à la Mongolie, au Laos et à plusieurs autres pays. Pendant son long voyage à dos de cheval, le thé prenait de nouveaux arômes, mais surtout, il s'adoucissait et devenait plus rond et plus agréable à boire. Ses méthodes de production sont multiples et dépendent du caractère voulu. Si certains préfèrent le boire jeune, le thé pu'erh a vu sa popularité s'accroître à Hongkong et en Occident, entre autres pour les arômes associés au thé vieilli. Lorsqu'il est jeune, on y perçoit des notes végétales, mais avec le temps, il acquiert des arômes de fruits, d'épices, de cuir et de sous-bois, voire des notes minérales. Certains prendront aussi un caractère terreux et champignonné. Une boisson chaude et remplie d'émotion, qui, avec ses notes graves, me rappelle la contrebasse.

Si sa complexité aromatique est aujourd'hui prisée, les Chinois le buvaient tout d'abord pour ses vertus sur le corps humain. Certains préparaient même des soupes à partir du thé pu'erh. En médecine chinoise, on croit entre autres que le thé facilite une meilleure digestion, qu'il renforce le système immunitaire et qu'il abaisse le taux de cholestérol. Sa méthode de production fait en sorte qu'il contient très peu de caféine. Parfait pour toi qui trembles facilement lorsque tu bois certains thés. Tu pourras le boire de jour comme de soir.

Kabusecha Takamado

À ton image. Pour toi qui es capable de garder les choses légères malgré l'intensité qui se cache derrière. Un vent de fraîcheur, comme les arômes de pois verts, d'épinards et de noix de cajou que dégage le thé vert japonais Kabusecha Takamado.

Puisque tu préfères les choses pures et sans maquillage, savoures-en tout simplement une tasse. Froid ou chaud. Tu le trouveras à ta maison de thé préférée, Camellia Sinensis. Un thé vert bien unique, puisque deux ou trois semaines avant la récolte, on recouvre le théier de paille — qu'on applique sur une structure — ou encore d'une toile grillagée qui bloque jusqu'à 95% de la lumière. Cela entraîne une plus grande concentration de chlorophylle et moins de tannins.

Pour tes invités, je te propose de préparer un cocktail que j'ai inventé et qui repose sur le Kabusecha. Tu peux le faire avec ou sans gin. Le nom est inspiré de ton dernier livre. *Vi*, c'est quelque chose de microscopique. Mais c'est aussi la vitalité.

INGRÉDIENTS

2 tranches de concombre

Le jus fraîchement pressé d'une demi-lime

1 c. à thé de sirop d'érable

¼ c. à thé de gingembre frais, râpé

3 glaçons

5 oz de Kabusecha Takamado (infusé à froid pendant 8 h)

1 oz de gin St. Laurent (optionnel)

1 feuille de menthe (pour la garniture)

Vi   Pour 1 verre

Avec un pilon de bois, écraser une tranche de concombre dans un verre à whisky (ou *lowball*). Ajouter le jus de lime, le sirop d'érable et le gingembre. Remuer. Ajouter les glaçons, puis le thé et le gin. Remuer de nouveau et garnir d'une feuille de menthe et de la tranche de concombre restante.

Rías Baixas blanc

Tu es une hôte exceptionnelle Le seul bémol: l'alcool! Voilà donc un passe-partout que tu pourras servir à tes invités lors de tes prochains soupers. Juste au cas où le «911-Michelle» ne répondait pas à l'appel! Tes amis seront plutôt heureux que tu aies transformé l'eau en vin.

Située en Galice, sur la côte nord-ouest de l'Espagne, Rías Baixas est dotée d'un climat océanique frais. Ses vignobles sont balayés par les vents de l'Atlantique et la pluie y est abondante. Malgré ces conditions humides, l'albariño s'épanouit sur les sols granitiques de l'appellation. Roi de la région, il représente 90% des vignes plantées.

Ce coin d'Espagne connaît une renaissance depuis les deux dernières décennies. Rías Baixas est capable de produire des vins de grande qualité. Les blancs de l'appellation reposent entièrement sur l'albariño, si ce dernier figure sur l'étiquette principale de la bouteille. Si le nom y est absent, cela veut dire que l'albariño est accompagné de petites doses d'autres cépages, comme le treixadura, le loureiro ou le caiño blanco.

Les vins blancs de ces terres galiciennes concilient vigueur et structure. Certains font un court passage en fûts de chêne neufs, mais la grande majorité d'entre eux sont vinifiés dans un contenant neutre, qu'il s'agisse de la cuve en béton ou en inox. Considéré comme l'un des cépages blancs les plus nobles de l'Espagne, l'albariño produit des vins secs munis d'une acidité variant de moyenne à élevée et démontre des notes de lime et de fruits à noyau — la pêche et la nectarine, par exemple. Les notes de salinité et de pierre mouillée viennent en souligner la fraîcheur. Un choix qui séduit à tout coup et qui engendre rarement la controverse. Parfait pour ton groupe éclectique d'amis.

C'est aussi une valeur sûre pour accompagner le repas fétiche que tu cuisines à l'occasion de tes grandes tablées: un gros poisson blanc, servi avec oignon vert, arachides, gingembre, basilics thaï et vietnamien et coriandre. Chacun fait son propre rouleau!

LES BONNES ÉTIQUETTES

Pazo de Señorans
Bodegas Terras Gauda
Adegas Valmiñor
Paco & Lola
Viña Nora

«J'ai vécu mille vies...
Il ne faut pas être trop gourmand.»

KIM THÚY

Christian Bégin

**GÉNÉREUX   CHALEUREUX
GOURMAND   CURIEUX**

DIS-MOI QUI TU ES, JE TE DIRAI QUOI BOIRE

Je sais qui tu es. Mon regard n'a rien d'objectif. L'entrevue est influencée par l'affection que j'ai pour ta soif de tout.

Dans l'ordre des choses, on ricane dans la première minute qui suit la bise. Christian a perdu ses beaux cheveux grisonnants. Sa teinture est d'une couleur brun-orange. Incapable de le regarder sérieusement! Quand tu es acteur, parfois, ton travail impose la métamorphose. Pour souligner leurs 20 ans, les Éternels Pigistes — une troupe de théâtre fondée par un groupe d'acteurs, dont Christian — ont fait une tournée québécoise organisée par le Théâtre du Nouveau Monde (TNM). *Pourquoi tu pleures…?*, une pièce écrite par Christian (dans laquelle il joue le rôle central), a connu du succès. Le voyage noir dans lequel nous transporte cette œuvre est à la fois troublant et douloureux. Elle nous montre que notre famille peut nous apprendre à ne pas voir ce qui nous détruit, en plus de remettre en question l'aptitude que l'être humain a à se cacher de lui-même. Des maux qui intoxiquent la société et la planète. «C'est probablement la pièce la plus intime et la plus impudique que j'ai écrite. Elle est plus proche de moi; c'est pour ça que je suis content de l'avoir écrite! C'était la plus audacieuse, la plus politique, aussi. C'est surtout parce que je prenais des risques personnels. On finit toujours par écrire sur soi et c'est correct. Tremblay disait: "Plus on parle de soi, plus on parle au monde. Plus on est local, plus on est international." Je crois à ça.»

Cette pièce, il l'a menée de front en même temps que plusieurs autres projets. Polyvalent, essoufflant ou essoufflé? Toutes ces réponses (je le dis avec amour). Christian est derrière quatre pièces de théâtre, mais il a aussi écrit pour la télé, en plus de jouer de nombreux rôles au théâtre, dans des films et au petit écran. J'ai déjà vu Christian mémoriser 30 pages de texte en quelques heures. Il ne se lasse pas de défendre de multiples causes qui lui tiennent à cœur et il prend parole sur la place publique pour dénoncer les injustices. Il est également célébré pour son talent d'animateur. Bref, un tourbillon difficile à suivre… et une dextérité impressionnante.

On le sait: être artiste, c'est un métier instable. Est-ce la genèse du comédien à tout faire; sorte de caméléon-guépard? «Non: d'une part, je pense que je suis un assoiffé — tout m'intéresse, et dans cette perspective-là, je pense que je suis frustré. L'idée de vieillir n'est pas quelque chose avec laquelle je suis bien. Parce que je n'aurai pas le temps de faire tout ce que je veux faire. Mais si on gratte plus, ça parle sûrement d'un trou abyssal que j'essaie de remplir de mille et une façons. Ça parle d'une insécurité, amalgamée à une vraie curiosité, par contre, et à une vraie soif de comprendre et de connaître. Cette hyperactivité-là, c'est une façon de combler quelque chose qui, je m'en rends compte aujourd'hui, à 54 ans, ne sera jamais comblé. Il faut que j'accepte que je vais vivre avec ce trou-là toute ma vie.»

Cela dit, de toutes les formes d'art qu'il exerce, il y en a une qui lui apporte un certain calme. «Je pense que celle qui m'apaise le plus — même si, des fois, dans l'acte, elle me confronte —, ça demeure l'écriture. J'avais entendu Janine Sutto dire (et je ne croyais pas à ça!) que "le trac, plus on vieillit, pire c'est". Moi, avant, je n'avais pas le trac... Pas beaucoup; j'en avais un normal. Mais là, pour les trois dernières pièces dans lesquelles j'ai joué, j'ai trouvé quelque chose de souffrant dans le jeu. Je me suis vraiment pris dans un trac grandissant d'une production à l'autre. Dans *Pourquoi tu pleures...?*, c'était fou: chaque soir, une espèce de trac qui durait 15 ou 20 minutes avant que je me détende! Avant, c'était jouer qui m'apaisait; maintenant, plus du tout. Sinon, ce qui m'apaise le plus, c'est de me retirer du tourbillon en allant sur mes terres, à Kamouraska. Là où j'essaie de plus en plus de m'extirper du monde», dit-il avec honnêteté.

Quand il est dans la rue, on aborde Christian en lui demandant «un petit verre de *vino*?» plutôt que «comment ça va?» — et ce, parce que *Curieux Bégin* est devenu sa marque de commerce. J'ai ce privilège et cette joie immenses de partager avec lui le plateau de cette émission. À mon humble avis, son succès repose en grande partie sur la capacité de l'animateur à s'intéresser à chacun de ses invités et à leur donner de la place; à les faire briller. Quand je lui fais part de mon impression, il explique, avec force humilité: «Je ne suis pas le meilleur comédien du monde; je connais mes failles, mes tics, mes habitudes,

mes limites. Je connais mes limites comme auteur. Là où je suis bon, c'est dans le rapport à l'autre; dans ma curiosité de l'autre, qui est réelle. Quand je prends la parole, aussi, je sais que je suis capable de bien exprimer ma pensée... D'y réfléchir. Je mets facilement les gens en confiance. Je m'intéresse vraiment à eux.»

Sa soif pour tout fait qu'on ne se lasse pas d'être l'ami de Christian. Comme on dit: c'est pas «plate»! Les sujets de discussion sont inépuisables. L'art visuel fait partie de son quotidien. Il m'a déjà confié que pour lui, une maison n'est pas son espace jusqu'à temps qu'il ait mis des cadres sur les murs. «Quand même, c'est récent, dans ma vie, cette ouverture; cette curiosité-là par rapport aux arts visuels. Il y a quelque chose dans la démarche de l'artiste qui me touche, dans la solitude du geste. Il y a une abnégation de soi dans l'art de peindre qui me touche. J'ai eu des rencontres avec des œuvres qui m'ont procuré des émotions différentes de ce que je retrouve au cinéma, au théâtre ou en mangeant. Il y a une nature précise de ce que je ressens devant une toile pour une raison, des fois, qui est absolument inexplicable. Mais tout à coup, je me sens happé par quelque chose. Les peintres et les artistes visuels travaillent dans une certaine précarité: c'est difficile de gagner sa vie. À part les Marc Séguin de ce monde, il n'y en a pas beaucoup. C'est niaiseux, mais acheter des œuvres, c'est aussi une façon de les soutenir et de dire: tu as raison de faire ce que tu fais. J'ai des sous en ce moment pour pouvoir t'aider, et ce que tu fais, j'y accorde de la valeur. Chez nous, il y a trois artistes récurrents que j'aime: François Vincent, Julie Arkinson et Robert Lamarche. J'ai eu la chance d'acheter un Marc Séguin, l'an dernier. Ça, c'est fou.»

CHRISTIAN BÉGIN

Et vient ce moment dans l'entrevue où je me fais plaisir et où je taquine Christian. Je me dis que c'est un privilège auquel les amis ont droit. Et parce que je sais que ça va automatiquement faire rire mon photographe, qui arrive à l'instant (et ça marche).

Moi: «Christian, en musique, quel artiste aimes-tu et que personne ne pourrait te soupçonner d'aimer?»

Christian: «C'est comme une entrevue où tu vas me ridiculiser. Je te jure que dès qu'il vient à Montréal, je t'emmène. Le jour où tu vas voir Gino Vannelli en *show*, tu vas tout comprendre! Je pourrais lui "pitcher" mes bobettes sur un stage, si je pouvais! Il a une voix extraordinaire encore aujourd'hui et il s'entoure de musiciens de la mort. Il a eu une drôle de carrière et des fois, on l'enferme dans les 10 mêmes "tounes". Depuis des années, il réinvente, réarrange. C'est un gars qui a fait du chemin et qui a connu, comme toutes les stars pop, une ascension fulgurante, puis qui a sombré dans la gloire, la déchéance, l'alcool, les filles... mais qui a fait une démarche personnelle, aussi. Il semble être une vraie bonne personne. C'est un gars qui fait de la recherche: il a écrit des opéras, il est passionné par la musique. En dehors de *I Just Wanna Stop*, il a fait beaucoup de choses.»

Question d'être juste, je lui donne la chance de partager son amour pour d'autres musiciens. «J'aime la musique funk et l'époque du Motown. Stevie Wonder, Lionel Richie, Michael Jackson, James Brown, George Benson, Marvin Gaye... Il faut qu'il y ait quelque chose qui me "pogne icitte" [en parlant de ses tripes]. J'ai beaucoup aimé l'époque du disco, Donna Summer... Et, bien sûr, Frank Sinatra.»

La réflexion, les rêves, les inquiétudes, ce qui remplit le quotidien: voilà des sujets qui font partie intégrante des conversations avec Christian pour qui a la chance de s'asseoir et de partager un verre de vin avec lui. C'est sur cette introspection que se termine l'entrevue. «S'il y a une tangente que je voudrais donner à ma vie (et c'est toujours *touchy* de dire ça), ça serait de changer de vie. Éventuellement, pas là; ça fait des années que je dis que je vais changer de vie, pis je ne le fais pas. Je sais qu'il y a quelque chose en moi qui va aller voir ailleurs si j'y suis. Je ne sais pas quelle forme ça va prendre... J'ai toujours le problème de vouloir faire 50 affaires, mais il y a une partie de moi qui aimerait se retirer du monde. C'est un fantasme. J'ai un ami qui a fait ça: il a tout vendu et il est parti, à 55 ans, voyager, voir le monde. Il y a quelque chose qui m'appelle là-dedans. Tu le sais, j'ai un fantasme d'aubergiste depuis toujours; j'ai envie d'essayer ça. Même si je sais que ce n'est pas une vie, ça pourrait être la mienne. Je pourrais redevenir serveur: j'ai adoré ça. J'aime la restauration, mais je ne serai jamais un chef.» Il évoque ensuite un désir peut-être plus probable. «J'ai envie de convertir une partie de mes bâtiments à Kamouraska pour en faire un gîte. J'ai un projet que je chéris depuis longtemps, avec le Dr Julien, d'accueillir des enfants à la campagne. C'est plus dans l'ordre du possible. Il y a quelque chose en moi qui, tranquillement, va se retirer de l'œil du public.»

Christian, je porte un toast à nos fous rires. Tu as cette capacité d'autodérision qui est contagieuse. J'ai aussi envie de trinquer à ta gourmandise, qui s'extrapole dans toutes les directions. Santé!

Fidèle au bon vivant et au curieux que tu es, tu as des goûts éclectiques. Choisir une bouteille pour toi est toujours un plaisir.

Ode à Gino Vannelli — Rosé

Quel serait l'équivalent de Gino Vannelli dans le domaine du vin? J'y ai beaucoup pensé. Mon choix te surprendra peut-être, mais il s'est arrêté sur le rosé. Dans les années 1980, le white zinfandel californien a connu un succès démesuré. Facile et légèrement sucré, il était le «Kool-Aid» du vin. Heureusement, avec les années, les consommateurs ont compris que l'univers du rosé était beaucoup plus étendu que cela. Sa popularité continue à grandir, et les styles sont désormais multiples.

Si le répertoire musical de Gino Vanelli est beaucoup plus vaste que les succès de ce chanteur qui ont figuré au palmarès, la Californie est aussi capable d'offrir des vins rosés qui n'ont rien à voir avec le white zinfandel. J'affectionne particulièrement les vins secs de certains producteurs, comme les vins gris de Bonny Doon et de Birichino. Leur délicatesse rappelle les rosés de Provence, mais le fruit y est plus généreux que ceux qu'on trouve sur la côte méditerranéenne française.

Sinon, la qualité des rosés de Provence s'est beaucoup améliorée avec les années. Les meilleurs conjuguent finesse et fraîcheur, avec des notes discrètes d'agrumes et de fruits rouges, ainsi qu'une certaine salinité. Déjà, leur couleur saumon pâle fait sourire. Parfaits en saison estivale pour l'apéro ou comme partenaires de piscine, et toute l'année pour accompagner les salades et le tartare de saumon.

Pour les occasions où tu voudras un rosé plus charpenté, les appellations de Tavel et de Lirac, en France, et de Navarre, en Espagne, pourront étancher ta soif. Ces vins sont d'excellents compagnons de table pour agrémenter divers plats. Je pense à la bouillabaisse, à la paella, aux poissons grillés, à la ratatouille et à la volaille grillée sur le barbecue.

LES BONNES ÉTIQUETTES

Château d'Esclans Whispering Angel (Provence)
Château de Miraval (Provence)
Château La Lieue (Provence)
Bonny Doon (Californie)
Birichino (Californie)
Château Revelette (Provence)
Domaine de la Mordorée (Tavel)

Riesling

LES BONNES ÉTIQUETTES

Parce que tu es un globe-trotteur, je te propose cinq producteurs, cinq régions.

Pewsey Vale (Eden Valley, Australie)
Orofino (Similkameen Valley, Colombie-Britannique)
Josmeyer (Alsace)
Geyerhof (Autriche)
Dönnhoff (Nahe, Allemagne)

Selon la région et le microclimat, le nez du riesling vacille entre les agrumes, les fruits à noyau et les fleurs blanches. Si on peut toujours compter sur une personnalité affirmée, avec des arômes puissants et une acidité élevée, le riesling est aussi caméléon. Son taux de sucrosité varie selon le style désiré par le vinificateur. Cépage noble, il a les gènes nécessaires pour se bonifier avec le temps. Avec les années, des notes de pétrole viennent s'ajouter à la gamme aromatique. Un drôle de descripteur, mais c'est positif!

Pour toi qui es amoureux de la cuisine libanaise: l'intensité des arômes du riesling permettra de soutenir les saveurs puissantes de ces plats. Je préconise les vins secs à légèrement sucrés pour ces mets.

Campanie

LES BONNES ÉTIQUETTES

La sélection est encore limitée au Québec:

Mastroberardino
Cantina del Taburno
Fattoria La Rivolta

Le petit village de Pitigliano, en Toscane, où tu as eu la chance de passer quelques séjours chez le metteur en scène Serge Denoncourt, t'a complètement charmé. Tu prends même des cours d'italien pour être en mesure d'entretenir plus facilement les nouvelles amitiés que tu y as nouées. C'est à mon tour de te faire de découvrir un village qui a volé mon cœur à l'occasion d'une de mes visites en Italie: Positano. Plus petite et plus sympathique que la ville voisine d'Amalfi (qui est envahie par les touristes), Positano est tout simplement féérique. Les vignes, la plage, l'abondance des fruits frais de la mer et de la terre... Bref: tout pour faire rêver. Installé sur la côte amalfitaine, ce petit paradis est entouré par les appellations viticoles de la Campanie. Les cépages blancs greco, fiano et falanghina sont tous plus charmeurs les uns que les autres. Les nuances sont subtiles entre chacun d'eux, mais ils partagent les mêmes arômes délicats et juteux d'agrumes, de fleurs blanches, de fruits à noyau et d'amande. Les meilleurs fiano ont même la capacité de se bonifier avec le temps. Ce sont les bijoux parfaits pour accompagner les fruits de mer et la simple salade caprese.

L'aglianico est le cépage roi lorsqu'il s'agit des rouges. Souvent comparé au nebbiolo du Piémont, il donne des vins charpentés, avec des tannins puissants et des notes envoûtantes et généreuses de réglisse noire, de prune et de cerise noire. Avec le temps, ils acquièrent des notes de cuir, de tabac et de goudron auxquelles il est difficile de résister. L'appellation de Taurasi DOCG produit généralement les meilleurs aglianico de toute la Campanie. (*Psitt*: on ne prononce pas le g. On dit donc: a-li-a-ni-co!)

GENEVIÈVE GUÉRARD

Geneviève Guérard

**ÉLÉGANTE CLASSIQUE
SÉRIEUSE MÉTICULEUSE**

DIS-MOI QUI TU ES, JE TE DIRAI QUOI BOIRE

Dès ma première classe de yoga avec elle, j'ai compris que le dogmatisme ne faisait pas partie de sa pratique. C'est dans un environnement parfaitement zen que je côtoie Geneviève, soit le studio de yoga Wanderlust, à Montréal. Elle en est la copropriétaire et elle y enseigne.

Assise par terre, Geneviève joue avec ses chaussons de ballerine. Je lui ai demandé de les apporter pour prendre une photo: les pieds sur pointe nous font tous rêver. Mais pour Geneviève Guérard, ce rêve est derrière elle. Depuis ses derniers pas de danse, ses pieds ont changé. Ce sont les images du zénith qu'elle veut garder. «Je ne veux pas les mettre, dit-elle. Ils appartiennent à mon passé. J'aime regarder en avant. Je n'ai aucune nostalgie lorsque je pense à ma carrière dans Les Grands Ballets Canadiens. J'ai quitté au sommet.»

Son sourire est lumineux. Son calme s'exprime par des phrases posées, où chaque ponctuation prend son sens et évoque le cheminement depuis sa dernière danse. «Le yoga me donne tout ce que j'aimais de la danse, mais sans la compétition ou l'impératif de la représentation. C'est paradoxal, mais aujourd'hui, je me sens plus jeune et plus en forme que jamais. Et le yoga me fait accepter de vieillir, m'apporte une sagesse.»

Si ses pieds sur pointe font partie du passé, la musique, elle, lui est encore vitale et fait partie intégrante de chaque classe à Wanderlust. Je crois d'ailleurs que c'est ce qui nous unit sur le tapis de yoga, elle, la danseuse étoile, et moi, la trompettiste devenue sommelière. L'un de mes grands plaisirs lorsque je prends des cours avec Geneviève, c'est d'avoir l'impression de valser. La fluidité des enchaînements entre chaque posture et ses choix musicaux y sont pour beaucoup, mais c'est si naturel pour Geneviève que chaque fois que je le lui mentionne, elle semble surprise. «C'est parce que j'aimais la musique, mais que je ne pouvais jouer d'aucun instrument, que j'ai voulu danser. Je voulais vibrer sur la musique et avoir l'impression d'être un oiseau, quelquefois...», confie Geneviève en laissant ses doigts courir sur les veines du plancher de bois. Elle poursuit: «J'ai compris, au fil des années, que ne je pourrais pas vivre sans musique. Je suis sensible à la beauté de la nature, mais aussi aux arts. Chaque personne a un appel. La contribution au monde de chacun est différente.»

Or, avec les années, la quête de la perfection de la ballerine est devenu un refrain essoufflant. La musicienne classique en moi comprend parfaitement cela. Aujourd'hui, Geneviève a donc choisi de répondre à un autre appel: celui qui consiste à accompagner les gens dans leur quête d'équilibre. Mais, même si cette quête est aussi la sienne, le tableau de la perfection est difficile à abandonner. Certes, elle a accroché ses chaussons en 2006, mais certains des traits de personnalité qui lui ont permis de se rendre au sommet sont encore bien palpables. Je le lui fais remarquer; elle acquiesce en disant que la discipline la suivra tout au long de sa vie. «Je suis méticuleuse et je ne me satisfais pas de choses à moitié bien faites. Garder un juste milieu sans retomber dans la performance demeure un défi.»

Heureusement, pour arrêter le temps, il y aura toujours une danse, une posture de yoga ou un verre de vin — ces petits bonheurs encapsulés qui colorent le quotidien. «On se souhaitait toujours bon voyage avant le début d'un ballet, dit Geneviève. J'essaie d'offrir la même possibilité dans mes cours de yoga.»

Chère Geneviève, j'espère que par ces suggestions de vins, tu pourras à ton tour vivre quelques odyssées.

Chenin blanc du Val de Loire

LES BONNES ÉTIQUETTES

Domaine des Baumard
Domaine Huet
Domaine Vincent Carême
Château Yvonne
Domaine de la Taille
 aux Loups
Domaine Guiberteau
Domaine de Bellivière

Depuis des années, je compare le chenin blanc du Val de Loire à une ballerine: droit, acidulé et souvent austère, avec un sérieux indéniable. Plusieurs sont agréables en jeunesse, mais les plus grands se bonifient avec le temps. Lorsque le cépage exsude son côté intellectuel, comme c'est le cas dans la région de Savennières, c'est la musique d'Igor Stravinsky qui me vient en tête. Angulaires et complexes, ces vins demandent toute notre attention. Leurs arômes de coing et de camomille — et, parfois, leur touche champignonnée — nous attendrissent. Un bijou pour la table...

Un clin d'œil à ta première carrière et à ton amour des pièces contemporaines. Je sais que *Le Sacre du printemps* demeure l'un des grands ballets auxquels tu as pris part comme danseuse.

Chablis

Dans cette région où le climat est frais et particulièrement diffi-cile, le chardonnay s'exprime avec austérité et son acidité tran-chante fait saliver. Sans maquillage, et dans l'absence (ou presque) de fût de chêne neuf, ce vin suggère des bouteilles où chaque détail est visible, même quand les nuances sont subtiles. Comme une ballerine devant un public ou une yogi sur son tapis, le cépage est complètement mis à nu.

Si les vins d'entrée de gamme assouvissent facilement la soif lors-qu'ils sont servis en apéro ou accompagnés de plateaux de fruits de mer, les 1ers et grands crus proposent une complexité à l'image de leur terroir. Ils sont à la fois précis et discrets. Des notes vives d'agrumes et de fruits verts sont soutenues par une minéralité qui perdure en fin de bouche. Les bons millésimes donnent la possibi-lité de mettre les plus grandes bouteilles à la cave. Dans un monde où les prix ne cessent de fluctuer, les meilleures appellations de chablis permettent aux amoureux de la Bourgogne d'en acheter à un prix abordable.

Pour toi, chère Geneviève, qui as appris très tôt dans ta carrière à croire avant de voir. La patience est une vertu.

LES BONNES ÉTIQUETTES

Daniel Dampt et Fils
Patrick Piuze
William Fèvre
Isabelle et Denis Pommier
Alice et Olivier De Moor
La Chablisienne
Domaine Pattes Loup
Domaine des Malandes

Bourgogne rouge

Classique, élégant et doté de tannins légers, le bourgogne rouge est à la fois à ton image et en symbiose avec le mets qui te récon-forte. Fait de pinot noir à 100%, ce vin dévoile des arômes de fruits rouges croquants (comme la griotte, la fraise et la canneberge) et une acidité vive qui forment une alliance parfaite pour accompa-gner le pot-au-feu. Un accord sublime pour te transporter dans le monde imaginaire des films de Pagnol, qui t'inspirent. Prélude idéal pour une danse dans ton salon?

Je dédie ces bouteilles à la gourmande en toi, amoureuse des plats mijotés qui s'est éveillée lorsqu'elle a quitté le monde du ballet.

LES BONNES ÉTIQUETTES

Leur gamme inclut des vins qui offrent un bon rapport qualité-prix — l'idéal pour un pot-au-feu.

Domaine du Clos Salomon
Domaine Faiveley
Domaine Bruno Clair
Louis Jadot
Vincent Girardin
Domaine Charles Audoin
Domaine Tollot-Beaut

ALEXANDRE TAILLEFER

Alexandre Taillefer

**VISIONNAIRE   SENSIBLE
COMPLEXE   COMBATTANT**

C'est lorsque les attentes sont trop grandes qu'on est parfois déçu. Au tout début de ma carrière, j'ai réussi — par je ne sais quel miracle — à visiter la maison viticole la plus prestigieuse au monde: le Domaine de la Romanée-Conti. Dans le livre de bienvenue, le dernier qui avait manifesté sa présence était le prince Charles... Ces bouteilles de bourgogne sont rares: elles se vendent des milliers de dollars aux enchères. Les obsédés et les passionnés comme moi passent des heures à saliver en lisant des notes de dégustation sur des vins que nous n'arriverons probablement jamais à porter à nos lèvres.

Devant la discrète porte rouge où rien n'indique que j'arrive à une maison historique, je me prépare mentalement. Plus loin encore que la nervosité se cache une peur que la déception soit au rendez-vous. Mais l'accueil du propriétaire, M. de Villaine, et de son chef de cave, Bernard Noblet, est à la hauteur. Douze ans plus tard, cette visite me nourrit encore. Je peux décrire avec précision chaque gorgée que j'y ai dégustée. L'émotion débordait des verres. Ce matin-là, lorsque j'ai pleuré pour la première fois devant la grandeur d'un vin, j'ai compris que l'excellence n'est jamais le fruit du hasard.

Je ressens cette même nervosité et cette même appréhension lorsque j'arrive au bureau de M. Taillefer. Une œuvre de Marc Séguin attire d'abord mon attention. Des pièces contemporaines, toutes plus impressionnantes les unes que les autres, nous entourent. Elles sont en parfaite symbiose avec la vue sur Montréal qu'offre la fenêtre, où les gratte-ciel s'élèvent derrière les édifices de briques colorés par des graffitis.

À l'époque où Alexandre participait à l'émission *Dans l'œil du dragon*, il incarnait le rôle du dur à cuire. Certains le respectaient, d'autres le redoutaient. Mais ces dernières années, c'est plutôt l'homme d'affaires engagé qui attire l'attention des médias. «Je n'ai jamais été un homme d'affaires pur et dur. Dans les *Dragons*, tout le monde joue un rôle. Mais la vérité, c'est que j'ai toujours été un petit gars avec un certain sens de l'humour.» Il sourit, je respire.

DIS-MOI QUI TU ES, JE TE DIRAI QUOI BOIRE

Bien qu'Alexandre ne soit pas particulièrement amateur d'opéra, c'est son rôle au conseil d'administration de l'Opéra de Montréal qui a été la genèse de son implication sociale. «Je n'avais pas d'affinités avec l'opéra et je me suis retrouvé à être le dernier administrateur autour de la table. L'Opéra était en situation de faillite, et beaucoup de gens avaient quitté le conseil. Je me suis rendu compte que les connaissances que j'avais dans le monde des affaires étaient en mesure de s'appliquer en culture et que ça pouvait générer des impacts positifs. C'est à partir de ce moment-là que je me suis aperçu que l'implication sociale pouvait avoir des répercussions», explique-t-il, avant de poursuivre: «L'implication sociale, c'est une révolte qui naît d'une plus grande compréhension des inégalités qui existent aujourd'hui dans notre société. Je pense qu'utiliser la créativité des entrepreneurs pour en faire profiter le plus grand nombre, c'est tout à fait possible. C'est un peu à la base de Téo [Taxi]. Mais, historiquement, les conditions de travail de mes collègues ont toujours été importantes pour moi.»

Il faut être vif d'esprit et concentré lorsqu'on discute avec Alexandre Taillefer. Chacune de ses idées est concise, mais il passe du coq à l'âne en revenant rapidement au sujet de départ pour boucler le sujet. Des notions de psychologie s'insèrent dans son discours. Il évoque, entre autres, la pyramide des besoins de Maslow. «En haut, il y a l'actualisation de soi. Dans cette case, je mets François Ier, le dalaï-lama et peut-être Janine Sutto. En bas, il y a la reconnaissance par les pairs, qui est très importante lorsque tu fais partie d'une communauté. Quand celle-ci reconnaît ton implication et quand tu fais quelque chose qui a des répercussions sur ta communauté, c'est formidable», dit-il en revenant sur son rôle d'homme d'affaires engagé.

Lorsque je lui demande comment le *businessman* et l'artiste que je devine en lui cohabitent, il cite un livre pour expliquer que ces deux traits de personnalité peuvent être en symbiose pour permettre d'atteindre des sommets. «La thèse émise par Patricia Pitcher dans le livre *Artistes, artisans et technocrates dans nos organisations* est assez intéressante. Pour que les entreprises aient de la vision, qu'elles aillent loin, qu'elles percent de nouveaux marchés, qu'elles réinventent une façon de faire, il faut qu'elles soient dirigées par des artistes.»

La passion d'Alexandre Taillefer pour l'art contemporain est bien connue. Ceux qui ont eu la chance de mettre les pieds dans son bureau comprennent qu'on pourrait y passer des heures. C'est un musée! Si Alexandre n'avait pas été aussi généreux et présent dans notre conversation, je me serais laissée distraire facilement. «Une œuvre forte, pour moi, c'est une œuvre qui va continuer à te parler pendant des années, que tu vas continuer à découvrir et qui va te dire des choses différentes. Il n'y a pas grand-chose qui te permet d'avoir une relation de 15 secondes, d'une heure, de 20 ans dont tu ne te lasseras pas», répond-il lorsque je lui demande: pourquoi l'art contemporain plus qu'une autre forme d'art? «Je suis un fan fini de musique française. Mais au bout de 250 écoutes, j'ai fait le tour. Même les plus grands albums d'Alain Bashung... J'ai dû écouter *Bleu pétrole* 250 fois, mais j'ai fait le tour de cet album-là. Je vais peut-être le revisiter dans 10 ans. Alors qu'il y a des œuvres d'art avec lesquelles je vis sur une base quotidienne depuis 20 ans et qui continuent à me toucher», ajoute-t-il. Il admire aussi certains artistes d'une autre époque, comme Francis Bacon, entre autres pour la grande folie dans son travail. «Il avait une compréhension des enjeux de la santé mentale — et des drames que les gens vivent d'une façon individuelle — qui est spectaculaire. J'aime aussi Magritte pour son cynisme. Je trippe sur son sens de l'humour! J'aime le dadaïsme.»

Son amour pour Francis Bacon m'amène à penser au drame familial qu'a vécu Alexandre. De l'extérieur, j'ai l'air en parfait contrôle, mais au fond de moi, je suis renversée. Devant moi, j'ai un homme brillant, érudit, qui a beaucoup de succès et qui mène de front plusieurs dossiers importants. Mais j'ai aussi un être humain qui a récemment connu une grande tragédie: celle du suicide de son fils, Thomas. Il aurait pu s'abattre, mais il continue. Surtout, il prend la parole pour parler de santé mentale. Qu'est-ce qui fait qu'Alexandre Taillefer ne baisse jamais les bras? «J'ai compris à quel point quand tu bats la mesure, tu peux entraîner des gens avec toi et que ça a un réel impact. Quand je vois un enjeu de santé mentale, que je vois des syndromes dans notre société et que je pense être en mesure de trouver des solutions, il faut que je m'implique. Je suis mal fait de même», lance-t-il avec émotion.

Je dois partir. Son prochain rendez-vous est sur le point d'arriver. Avant de quitter, je lui demande quel est le côté de lui que le public connaît peu: «Le vin rouge.» J'éclate de rire. Est-ce que tu peux répondre sérieusement? «Je sais que ça a l'air arrangé avec le gars des vues, mais je suis parfaitement sérieux! Ces discussions-là, devant une bouteille de vin ou deux, où on est capables de réinventer le monde, où on est capables de dire des niaiseries, ce n'est pas quelque chose que je veux mettre en lumière et partager avec le public.» Quarante minutes viennent de s'écouler. C'est peu, mais c'est beaucoup en même temps.

Cette entrevue m'a habitée plusieurs jours avant que je puisse la raconter. J'ai dû choisir mes mots. J'aurais pu écrire des pages et des pages... Ce paradoxe qui existe en vous, M. Taillefer — où une grande sensibilité marche main dans la main avec le visionnaire que vous êtes, déterminé et résilient — est déstabilisant, touchant. J'espère pouvoir, un jour, partager un deuxième verre de vin rouge avec vous.

Ode à notre première rencontre...

Le silence occupe la chaise d'à côté depuis une heure. La personne «la plus importante», me dit-on, n'est pas encore ici. Lorsque cet homme barbu et imposant arrive, il termine ce qu'il reste de mes huit verres de dégustation, dont chacun raconte une histoire précieuse. Quand on quitte son pays natal, au bout d'un moment, on oublie d'y revenir. J'habite Vancouver depuis 20 ans. Je ne sais pas qui il est... mais il m'irrite. Il se nomme Alexandre Taillefer.

En retard sur les festivités, M. Taillefer commande une bouteille pour partager avec sa gang d'amis. Je m'attends à un vin charpenté, caricatural, à l'image de ce qu'il dégage. Sans doute un buveur d'étiquette qui choisira quelque chose dans le but d'épater. Mais non. C'est un bourgogne rouge 1er cru d'un producteur moins connu qui est servi. Mon regard change; il capte mon attention. Il faut être sensible et à l'écoute pour apprécier la subtilité des vins de la Bourgogne.

Bourgogne rouge 1er et grand crus

Sur les terres bourguignonnes, le pinot noir joue le rôle de soutien. Il devient accessoire pour transmettre les nuances entre les différents terroirs. Difficile à cultiver et à vinifier, ce cépage a été surnommé «le crève-cœur». La connaissance s'impose pour dénicher une bonne bouteille. Une équation complexe entre la qualité du millésime, la provenance des raisins et le savoir-faire du producteur. Mais la ténacité vaut le coût. Quand c'est grand, c'est grandiose. Ceux qui en font partie conjuguent la finesse avec une force qui ébranle.

Les subtilités sont nombreuses entre les différentes appellations. Mais en général, les pinots noirs de la Bourgogne se distinguent par des notes de fruits rouges croquants, comme la griotte, la canneberge, la cerise, la fraise et la framboise. On peut aussi y trouver des nuances de terre humide, de sous-bois, de feuilles mortes, de truffe noire, de champignon et de violette. Les terroirs remarquables s'exprimeront entre autres par une minéralité marquée et une grande complexité. Des vins légers, dotés d'une bonne acidité et de tannins faibles, mais fermes.

LES BONNES ÉTIQUETTES

Domaine Anne Gros
Domaine Bruno Clair
Domaine Drouhin-Laroze
Domaine Confuron-
  Cotetidot
Domaine Robert Chevillon
Thibault Liger-Belair
Domaine des Lambrays

Alexandre, pour toi qui considères que cuisiner les morilles est un art, le bourgogne rouge, le gibier (que tu as peut-être chassé), les morilles (que tu as achetées à Ti-Guy, au marché Atwater) et les amis proches font bon ménage pour réinventer le monde...

Barolo

Un vin droit et noble, avec des tannins fermes et puissants ainsi qu'une acidité marquée — mais surtout une trame aromatique qui en a beaucoup à raconter. Sur les terres de Barolo, au Piémont, le nebbiolo est capable de produire des vins majestueux. L'alliance des notes de cerise rouge, de réglisse noire, de pétales de rose, de cuir, de goudron et de truffe offre un bouquet qui hante l'âme.

Il peut être tentant d'ouvrir ces grandes bouteilles très tôt, parce que même lorsqu'ils sont jeunes, ces vins dégagent une magnitude qu'on comprend. Mais «tout vient à point à qui sait attendre»! La réelle profondeur d'un barolo ne s'exprime que par la maturité. Avec les années, les tannins imposants deviennent plus souples, et le vin plus complexe.

Un vin où la force et la sensibilité coexistent. À votre image, M. Taillefer. Et un accord naturel avec la cuisine italienne que vous aimez tant.

LES BONNES ÉTIQUETTES

Vietti
Giacomo Conterno
Azelia
Mascarello
Elio Altare
Azienda Agricola E. Pira
  & Figli "Chiara Boschis"

Chardonnay australien

Une grande qualité des Australiens, c'est sans doute d'être capables de se réinventer constamment. Si, dans les années 1980 et 1990, le pays était souvent associé aux chardonnays surboisés et beurrés, on assiste maintenant à un retour du balancier — à un point tel que des sommités aussi respectées dans le domaine du vin que sont Jancis Robinson et Andrew Jefford ont proclamé plus d'une fois qu'aujourd'hui, l'un des plus grands atouts des Australiens, c'est le chardonnay.

J'ai eu la chance de passer beaucoup de temps en Australie et je ne pourrais être plus d'accord. La recherche de la fraîcheur et de la subtilité a amené les vinificateurs à doser l'utilisation du fût de chêne et à construire des vins plus réservés et élégants. Le fait qu'on célèbre les régions au climat plus frais y est aussi pour beaucoup. À l'aveugle, plusieurs sommeliers et grands journalistes se font souvent prendre à confondre chardonnays australiens et bourgognes blancs. La Bourgogne étant connue comme le berceau où le cépage atteint son apogée, cela en dit long sur l'évolution et la qualité des vins semblables en Australie.

Alexandre, parce que tu es curieux et à l'affût des tendances, je te conseille d'ouvrir une bouteille de chardonnay australien lors de la prochaine saison du crabe des neiges. Je sais que c'est pour toi une tradition de célébrer son arrivée. Un accord parfait, surtout avec les chardonnays provenant de la région de Margaret River. Testé et approuvé, plus d'une fois...

LES BONNES ÉTIQUETTES

Leeuwin Estate
Vasse Felix
Coldstream Hills
Bindi
Kooyong
BK Wines (importation
  privée: Ward & Associés)

Anne-Marie Cadieux

**RIGOUREUSE   PASSIONNÉE
INSAISISSABLE   CAMÉLÉON**

Mes mains sont rarement moites. Aujourd'hui, elles le sont. J'attends dans ce studio de danse de l'avenue du Mont-Royal qu'Anne-Marie termine de se faire maquiller. Il y a quelque chose d'impressionnant chez elle, d'insaisissable. Peut-être l'amalgame du génie de l'artiste et de l'assurance qu'elle exsude? Je ne suis pas la seule à la trouver intimidante en entrevue... «Tu crois? Et pourtant! Je pense qu'on est toujours intimidé de rencontrer des personnes qu'on ne connaît pas. Je suis très liante et j'aime beaucoup les gens», répond Anne-Marie lorsque je lui fais part de ma perception.

«Peut-être, parfois, que ceux qui avaient peur de me rencontrer se détendent assez rapidement, parce que ce n'est pas compliqué d'entrer en contact avec moi. C'est drôle, parce que c'est toujours inversible. J'aborde toujours les gens avec une sorte d'insécurité qui est du même ordre. C'est souvent ce qui me frappe dans notre métier. On peut avoir l'air de quelque chose qu'on n'est pas du tout. On est quand même toujours en représentation malgré soi. C'est pour ça que finalement, je suis plus moi-même au théâtre que dans la vie. Parce que là, t'es vrai. Tu joues quelque chose qui te ressemble. Une manifestation de quelque chose de profond que tu as travaillé, mais qui est quand même de toi.» En l'écoutant, je me demande si on ne joue pas tous un rôle à nos heures...

Mais peu importe le rôle qu'elle embrasse, Anne-Marie impose le respect. Sa virtuosité est aussi marquante au grand écran et à la télé que sur les planches. Elle est l'une des rares qui arrivent à naviguer dans tous ces univers sans se faire coller une étiquette. Je lui demande si elle sait ce qui fait sa réussite. «C'est drôle... Je n'ai jamais pensé à ça. Le désir est probablement le premier moteur. La volonté de pratiquer mon métier. Moi, je dis toujours que dans ce métier, ce qui compte le plus, c'est la persévérance. Évidemment, quand tu te lances là-dedans, quand tu es jeune, tu ne sais pas si tu as du talent. Il faut que tu sentes que le regard qui est posé sur toi est positif. Et puis, il y a la chance. J'ai été chanceuse. Il y a des rencontres... et il y a la passion. Je pense que si tu te consacres à quelque chose, il y a de fortes chances que ça arrive. Parce que tu dédies ta vie à une chose qui te passionne. C'est un métier difficile: il faut persévérer et il faut aussi briser les perceptions que les gens ont de nous. Parce qu'on voudrait toujours nous enfermer dans quelque chose.»

Je pense à un livre de Scott Peck: *Le chemin le moins fréquenté*. L'auteur évoque les bienfaits de la gratification différée. Avec le temps, Anne-Marie s'est forgé une signature bien à elle. Son secret, c'est un peu ça. «Il faut que tu refuses des choses. Les gens disent souvent: "Je ne peux pas refuser, je n'ai pas d'argent." Je me souviens que, jeune actrice, j'étais vraiment pauvre et je souffrais de ça, pour vrai. Et, même, à cette époque, on m'a parfois offert des rôles que j'ai refusés, parce que ça ne correspondait pas à ce que je voulais faire. Je me disais: "Il faut que ma carrière me ressemble un peu".» Elle poursuit: «Ça m'arrive de faire des choses et de ne pas en être particulièrement fière. On gagne sa vie, aussi. On navigue dans toutes ces eaux-là. Mais il faut essayer de rester fidèle à soi-même. S'il y a des choses que je déteste vraiment ou qui portent atteinte à mon intégrité de femme, ou à mon intégrité artistique, je ne le fais pas.»

La totalité est plus grande que la somme des parties. Ce sont des fragments qui façonnent l'unicité d'un être. Ceux qui l'entourent, ceux qui l'inspirent, ceux qui l'alimentent. Le monde d'Anne-Marie est rempli de tonalités. «C'est vrai que je m'intéresse à toutes sortes de choses. À l'art visuel, aux voyages, à la lecture. Je dis toujours qu'être acteur, ce n'est pas juste jouer. Parce que des bons acteurs, il y en a plein. C'est comme les chanteurs. Ce qui fait les particularités de chacun, c'est notre vision du monde. Je fais des choix qui correspondent à ma sensibilité.»

Dans ce tout, les mentors sont une grande partie de l'équation. On est toujours un peu le produit de ceux qui nous forment. «J'ai eu la chance de travailler très jeune et de faire de belles rencontres vraiment importantes avec des êtres exceptionnels. Je m'en rends compte encore plus aujourd'hui», explique Anne-Marie. Elle parle entre autres de Brigitte Haentjens, avec qui elle a collaboré dès l'âge de 15 ans. «Ça, tu vois, c'est de la chance. Je pense que dans une carrière, il y a des hasards. On s'est rencontrées à l'Université d'Ottawa, tout comme Michel Marc Bouchard, avec qui j'ai retravaillé beaucoup plus tard», dit-elle empreinte de gratitude. Et les hasards enchantés se sont enchaînés. Il y a eu Robert Lepage, dont Anne-Marie fut la muse dans plusieurs projets. Puis les Denis Marleau, Dominic Champagne, Lorraine Pintal, François Delisle, Serge Denoncourt et André Brassard, qui ont tour à tour croisé la route de la comédienne.

Elle parle, je la regarde, et je ne peux m'empêcher de penser qu'elle est lumineuse; qu'elle porte merveilleusement bien son expérience. «Avoir 50 ans, je trouve ça intéressant. Dans la vingtaine, tu veux exister. Dans la trentaine, tu te construis; tu veux t'imposer, te faire un nom. Tu veux faire partie de quelque chose, de ton milieu. Tu veux y appartenir. T'as beaucoup de trac et de pression chaque

ANNE-MARIE CADIEUX

fois que tu as un rôle dans un gros théâtre. Je me souviens: c'est Gérard Poirier qui m'avait dit que c'est bien plus tard, quand on n'est pas obligé de le prouver, qu'on est un acteur.»

Mais pour en arriver là, il a parfois fallu affronter le rejet et les déceptions. «Ça me fait rire quand les gens me disent: "Vous? Vous avez été rejetée?" Moi, je suis plus rejetée qu'acceptée! Il y a beaucoup de déceptions et de choses qui ne se sont pas passées. Et, en même temps, à côté, j'ai eu beaucoup d'autres cadeaux. Des choses auxquelles je ne m'attendais pas, des rencontres... Si j'aime beaucoup ce métier, c'est justement pour ces surprises. Je me dis que tout peut arriver, jusqu'à ce que je meure. Je pense à Emmanuelle Riva et à Jean-Louis Trintignant, qui ont joué dans *Amour* à 80 ans. Je trouve ça beau.»

Les surprises, Cadieux y carbure. «Je dis toujours [qu'être actrice], c'est échapper à la tyrannie du réel. Je me souviens quand j'avais 16 ans et que je me disais que je ne pouvais pas être Anne-Marie Cadieux toute ma vie. Juste être ça? Ce n'était pas une option! Ça me semblait ben, ben, ben ennuyant. Je pensais que je pouvais devenir d'autres personnes. Et puis, je me suis rendu compte que je ne pouvais pas échapper à moi-même; qu'il fallait plutôt que je creuse beaucoup, beaucoup au fond de moi; que je devais faire un travail d'archéologie pour aller puiser dans mes propres émotions. Tu ne deviens pas d'autres tant que ça.»

Elle précise sa pensée en expliquant comment, avant, elle pouvait se préparer pour un rôle en cherchant ses personnages à l'extérieur d'elle-même. «Ça fait très longtemps que je ne me pose plus ces questions-là. Je me dis que ça va arriver à un moment donné. Je place les choses et j'attends. Y'a quelque chose qui va arriver. Une posture qui va naître, un travail physique, une voix qui va arriver. Surtout au théâtre, lorsqu'on répète longtemps. À un moment donné, y'a une transformation qui s'opère — quelque chose de l'ordre de la métamorphose, si on est chanceux.»

La zone d'inconfort, cet endroit que peu de gens choisissent, elle la recherche. «Oui. C'est-à-dire que je refuse parfois un rôle parce que j'ai l'impression que je sais comment faire. S'il y a un projet où je ne vois pas le défi, ça m'intéresse plus ou moins. On a chacun nos tempéraments... J'aime les choses qui ont une certaine profondeur ou une intensité. J'aime ce qui se démarque», souligne-t-elle.

Ce qu'elle recherche, elle l'incarne. Quel que soit son médium, l'actrice a une prestance qui frappe. Mais Anne-Marie évoque son personnage dans *Le bonheur est une chanson triste* comme étant sans doute celui qui lui ressemble le plus au grand écran. En «gougounes» dans la ville, une caméra à la main, elle avait l'impression d'être plutôt que de jouer. «En fait, c'est un film qui a l'air d'avoir été croqué sur le vif. François Delisle, qui ne me connaissait pas du tout, m'a beaucoup talonnée pour que je le fasse. Je ne voulais pas le faire au départ! Je réalise que François m'a donné un rôle complètement à l'opposé de [ce qu'on a l'habitude de m'offrir], mais qui correspond probablement le plus à ma nature, aussi.» C'est un peu cette Anne-Marie que j'ai vue. Derrière sa prestance et le mystère qu'elle dégage, j'ai finalement trouvé une femme avec qui il est doux et facile d'échanger.

Grüner veltliner

Roi de l'Autriche, le grüner veltliner reste pour moi un cépage blanc un peu insaisissable. Surtout lorsqu'on me le sert à l'aveugle! Caméléon à ses heures, il se présente sous plusieurs formes. Certains producteurs l'ont surnommé «*groovy*» afin de le rendre plus facile à prononcer.

Il peut être léger et en simplicité, présentant des notes rafraîchissantes d'agrumes, de poivre noir et de fleurs blanches, mais sans plus. Parfait pour l'apéro et les plats du lundi sans prétention. Par contre, sur les plus grands terroirs — et dans les mains de bons vinificateurs qui préconisent de petits rendements —, il devient plus concentré et charpenté, avec des notes minérales prononcées. Les grands vins issus des coteaux des régions de Wachau, Kamptal, Kremstal et Traisental ont certes une prestance. Les arômes peuvent varier entre les agrumes, le poivre blanc, le pois mange-tout, la rhubarbe, les lentilles et le tabac. Ils ont aussi un grand potentiel de vieillissement. Avec les années, le grüner veltliner prend des allures de grand bourgogne blanc.

Voilà un bon compagnon pour le poisson cru et les aliments qui présentent beaucoup de fraîcheur et d'acidité, comme ces salades de tomates dont tu ne te lasses jamais.

LES BONNES ÉTIQUETTES

Rudi Pichler
Hirsch
Jurtschitsch
Loimer
Alzinger
Prager

Bulles de la Nouvelle-Écosse

Grande amoureuse de l'art visuel, tu apprécies les œuvres d'une autre époque, mais tu préfères être à l'affût des artistes d'aujourd'hui. On pourrait débattre longtemps de ce qui est contemporain dans le vin, mais les produits canadiens me viennent en tête. L'histoire vinicole du notre pays est assez récente, mais les choses bougent vite. Nos vins attirent de plus en plus l'attention sur la scène internationale, et avec les changements climatiques qui s'opèrent, l'engouement risque de grandir.

Avoir une vision et le courage de suivre sa passion: voilà ce que Gerry McConnell et sa femme Dara Gordon ont fait en 1999, lorsqu'ils ont acheté 60 acres de vignes dans la vallée de Gaspereau, en Nouvelle-Écosse. Aujourd'hui, leur domaine baptisé Benjamin Bridge est prisé pour ses vins effervescents de haute qualité. Fabriqués à partir de la méthode traditionnelle, ces vins exsudent une complexité telle que les plus grands sommeliers ont souvent confondu les bulles de Benjamin Bridge avec des champagnes! Une réussite qui semblait improbable, mais qui est devenue inspirante.

Pour toi qui aimes savourer des huîtres avec un verre de bulles: la prochaine fois, je te suggère de remplacer ton champagne par un vin de Benjamin Bridge. Il n'y a pas plus tendance que ça!

LES BONNES ÉTIQUETTES

Benjamin Bridge:
toutes les bulles!

Tokaji Aszú

Je joue et tu questionnes. Les rôles sont inversés — j'adore. Tes goûts m'ont dirigée vers des vins blancs secs et bien vifs. Or, tu m'as confié que le vin qui t'a le plus touchée, c'est un sauternes 1967. L'exception confirme la règle. Merci pour ce clin d'œil. Dans le même esprit, je te fais donc découvrir un vin avec des qualités similaires à celles des sauternes. Un bijou de la Hongrie.

Déjà, au 17e siècle, la région hongroise de Tokaj était connue pour ses élixirs liquoreux. On les appelait les vins des rois et les rois du vin. Il y a de grandes chances, dit-on, que leur existence ait précédé celle des sauternes ou des vins botrytisés d'Allemagne. Ces vins, on les nomme les tokaji aszú.

Située sur des sols volcaniques qui se trouvent au pied des monts Carpates, à la confluence des rivières Bodrog et Tisza, l'appellation jouit d'un microclimat favorable à la pourriture noble. Le tokaji aszú est un vin sucré issu de raisins botrytisés (atteints par la pourriture noble), dont les deux cépages principaux sont le furmint et l'hárslevelű. Les raisins botrytisés sont ajoutés au moût du raisin ou à un vin qui a achevé sa fermentation pour une période de 16 à 36 heures. Le vin est ensuite vieilli en fûts avant d'être embouteillé. Le résultat final: un vin de dessert dont la haute présence de sucre est équilibrée par une acidité assez élevée. Les arômes d'orange, d'abricot, de miel et d'amande sont irrésistibles. Tout comme les sauternes, les tokaji azsú ont un potentiel de garde. Avec le temps, des notes champignonnées et une touche minérale viennent s'ajouter à la trame aromatique. Qui sait, Anne-Marie: peut-être que le prochain vin qui te mettra les larmes aux yeux sera un vieux tokaji? Santé!

LES BONNES ÉTIQUETTES

Château Dereszla
The Royal Tokaji
 Wine Company
Tokaj-Oremus

MARIANNE ST-GELAIS

Marianne St-Gelais

**PERFECTIONNISTE HUMBLE
PERSÉVÉRANTE AXÉE SUR LA FAMILLE**

Six heures d'entraînement par jour, six jours par semaine. La réussite vient avec un prix... «On est principalement sur la glace. Et entre les deux, ben on va se reposer, et on retourne à l'entraînement. Le soir, on se couche, pis on recommence. L'entraînement, c'est notre routine de vie», me dit Marianne, qui a accepté de me voir dans son seul après-midi de congé.

La discipline et la rigueur ont toujours fait partie de mon ADN. Certains le voient comme un cadeau, d'autre comme une malédiction. Seuls ceux qui côtoient le même univers peuvent comprendre cette obsession. Pour moi, c'était la quête du son pur et de la note parfaite. Le sacrifice de dizaines d'heures de répétition de trompette par jour, l'enchaînement de classes de maître, un local de pratique comme meilleur ami et des milliers de dollars pour étudier avec les plus grands. La maladie de la perfection et du dépassement de soi est un refrain qui a continué de s'inscrire dans les couplets de ma vie. Lorsque j'ai besoin de vent pour avancer, les champions olympiques me nourrissent.

La culpabilité, c'est le démon de la discipline. Quand on déroge — même pour un court moment —, on s'en veut. Je me souviens d'avoir traîné mon embouchure de trompette pour garder mes muscles en forme lors d'une sortie en famille. Une journée sans pratiquer me semblait une éternité! Marianne valide à son tour: «Faut pas se priver non plus. Il y a des petits trucs qu'on aime quand on sort de notre zone d'athlète, mais on se sent quand même un peu coupable.» Pour exemplifier, elle parle de sa participation à l'émission *Le banquier*. «C'est un peu *once in a lifetime*... Tu te dis: O.K., ils ne vont pas me rappeler quand je serai plus athlète et plus connue. La journée commence à 6 h 30 du matin et se termine à 10 h du soir. Charles et moi on se sentait un peu coupables, parce qu'on a manqué deux entraînements cette journée-là. Tu te dis que dans une saison, ce n'est pas grand-chose. C'est vrai. Mais il reste que nous autres, on est "rodés" comme ça.»

C'est relativement facile d'avoir le feu sacré en début d'une carrière, quand le rêve remplit ton quotidien. Les victoires deviennent ton carburant, mais lorsque la défaite frappe, savoir se relever est d'autant plus admirable. En 2014, aux Jeux olympiques de Sotchi, Marianne a connu un échec qui l'a secouée. Alors que tout s'annonçait bien, elle a fait une chute au moment des qualifications du 1 000 m pour ensuite voir son conjoint, Charles Hamelin, faire la même chose aux qualifications du 500 m. Une des pires journées de sa vie: «Je ne voyais pas où je m'en allais. En fait, ça n'allait pas bien du tout avec mon entraîneur et je me suis égarée. J'avais oublié pourquoi je faisais du patin, pourquoi j'aimais ça. Je n'aimais plus la *vibe* qu'il y avait. Je me suis demandé si j'aimais encore ce que je faisais. Je n'allais pas continuer à forcer si je n'aimais plus ça. La réponse, ça a été: oui, j'aime mon sport.» Elle a donc fait tout ce qu'elle a pu pour rallumer le feu. Ceux qu'ils l'entourent la stimulent autant que son sport. C'est ce que Marianne s'est rappelé dans son moment de noirceur, en 2014. «Le patinage de vitesse est un sport individuel, mais j'ai besoin des 16 filles avec qui je m'entraîne tous les jours sur la glace. Ce sont elles qui font que mon quotidien est vraiment plus facile. L'entraînement va être difficile, la journée va être longue, mais on est toutes dans le même bateau.»

L'amour fait aussi de grandes choses. En cette ère où la performance vient avant le plaisir, où l'on dérobe les ruelles de sous les pieds de nos enfants pour les inscrire à des séries de cours de toutes sortes, l'histoire de Marianne fait réfléchir: «Petite, je m'entraînais avec les autres et après, je jouais. Je faisais des bonshommes de neige sur la glace. Ma mère se faisait dire par les autres parents: "Ça n'a pas de bon sens. Marianne manque de sérieux. Va le lui dire!" Ma mère répondait: "Tant que ma fille a ce sourire-là dans la face, je ne vais pas lui dire d'arrêter." J'avais 10 ans quand j'ai commencé à patiner. Les gens disaient que je n'avais pas d'avenir et que je n'allais pas percer, parce que commencer un sport à 10 ans, c'est trop tard. Ça n'a pas de bon sens, dire des choses comme ça, quand tu y penses... Mais ma mère a tout un caractère. Elle a dû dire: "Elle a du *fun*, ma fille. Allez regarder ailleurs si ça vous énerve!"» Quelle belle leçon de vie, lui fais-je remarquer. «Oui, vraiment. Et je pense que c'est pour ça que je disais que je n'ai pas besoin de grand-chose. J'ai juste besoin d'avoir du *fun* et d'être bien entourée.»

L'humilité est une qualité rare, et c'est ce qui est touchant chez Marianne. «Quand j'étais jeune, je n'avais pas beaucoup d'orgueil, et c'est encore le cas aujourd'hui. On en a — c'est certain — pour notre sport, mais si je n'ai pas gagné la course, ha! Je vais aller féliciter la fille qui a gagné. "T'as fait une belle course. Tu m'as battue, *good job!*" C'est ça la vie!» lance-t-elle, humble jusqu'au bout des doigts.

Si une vocation t'habite chaque minute où tu respires, le souffle est difficile à trouver quand ta raison d'être disparaît. À 27 ans, la retraite approche pour Marianne. Les Jeux olympiques de 2018 seront sa dernière chance de monter sur le podium le plus convoité pour un sportif. Une pression, certes, mais un vide qui peut faire peur. Comment se prépare-t-on à la fin? «On a un psychologue. Les athlètes qui vont vers la retraite, on leur demande: qu'est-ce que tu veux te rappeler? Qu'est-ce que tu veux léguer? Dans deux ans, plus personne ne saura qui est Marianne St-Gelais. Pis ça, c'est ben correct de même. Il faut juste se le rentrer dans la tête. Moi, quand tous ces gens-là m'auront oubliée, comment je vais faire pour ne pas m'oublier, et pour ne pas oublier mon sport?»

Mais rien n'est encore terminé, et pour Marianne, le legs est déjà énorme: «Je suis quelqu'un de discipliné, oui, mais... je suis aussi une personne résiliente. Mon entraîneur me regarde chaque jour patiner, et chaque jour, j'ai quelque chose à améliorer. On me parle toujours de ce qui doit être amélioré, rarement de ce qui est bien. J'accepte bien la critique et je me suis rendu compte que c'était vraiment important dans les relations humaines. Quelqu'un te parle... Moi, mon premier réflexe va être d'écouter, parce que j'écoute toujours ce que mon entraîneur a à dire. Je ne l'interromps jamais. Je l'écoute, je suis capable d'en prendre. Dans mon quotidien, je ne me fais jamais, jamais, jamais dire que je suis la meilleure. Je pense que ça va rester mon meilleur atout. Juste être capable de respirer, d'écouter ce que l'autre a à dire. Je suis convaincue que ça va m'aider et que ça va rester.»

Avec tous ces atouts, on s'imagine que la suite sera marquée par des possibilités infinies. Mais l'incertitude se fait sentir chez la médaillée olympique. «Ça m'a fait peur pendant un certain bout de temps, parce que j'ai arrêté l'école pour prioriser l'entraînement. J'ai pas de scolarité. Je suis une athlète olympique: c'est ça ma vie.»

L'après ressemblera à quoi, alors? «Y'a beaucoup de choses qui m'intéressent. Peut-être que l'université m'attend. Je pense que la famille va arriver rapidement. Charles et moi, on est prêts depuis longtemps. Mais notre fédération, notre sport nous ont tellement apporté qu'on veut beaucoup redonner aussi. On sait que nous, ça va être éphémère; qu'après les Jeux, notre popularité va vraiment dégringoler. C'est normal: y'en a d'autres en arrière de nous, et ils vont prendre notre place.»

C'est bientôt l'heure de l'entraînement. L'entrevue tire à sa fin et, en quittant Marianne, je me dis que même avec un bac ou un doctorat en main, peu arriveront à acquérir les aptitudes que l'école du dépassement lui a apprises. Et je pense aussi qu'elle a une bien belle vie devant elle.

Ma chère Marianne, je sais que tu apprécies le vin, mais que les occasions où tu peux te permettre de prendre un verre sont limitées. Ton équipe s'occupe de te préparer à la retraite. Moi, je te propose un menu comme prescription. Voici des accords que tu pourras savourer autant que tu le voudras une fois sur les bancs... de la vie quotidienne.

Dim sum et riesling d'Allemagne

Un clin d'œil à tes nombreux voyages à Shanghai et à Beijing. Entre deux entraînements, tu as marché sur la Grande Muraille de Chine à plusieurs reprises. Voilà un duo que tu n'as sans doute pas eu la chance de savourer lors de tes visites là-bas.

Ces petites portions de mets cantonais, qui sont souvent (mais pas exclusivement) cuits à la vapeur, sont idéales pour le brunch du dimanche. La tradition est de s'asseoir en famille ou entre amis, autour d'une table ronde, et de partager plusieurs *dim sum*. Les choix sont variés et une multitude d'ingrédients se retrouvent en même temps dans les assiettes. Le salé, le sucré, le piquant et l'umami sont tous au rendez-vous. Le vin idéal? Disons que les rieslings d'Allemagne font bonne figure au palmarès — surtout ceux qui sont légèrement sucrés. Pour cet accord, je préconise particulièrement ceux des régions de la Moselle, du Rheingau, de la Nahe et de la Hesse rhénane. Le climat continental frais qu'on y trouve donne naissance à des vins dotés d'une acidité élevée. Cela explique pourquoi plusieurs vins de table ont un léger sucre résiduel. Ce dernier permet d'équilibrer l'acidité mordante. Ces vins sont délicats, dévoilant des arômes qui valsent entre les agrumes, les fruits à noyau et la fleur blanche, selon la région dont ils sont issus. Les grands rieslings dégagent des notes de pierre mouillée et de pétrole qui viennent ajouter de la complexité. Tu trouveras plusieurs bouteilles qui affichent un taux d'alcool bas (de 7 à 11%). Parfait pour un retour graduel aux plaisirs de l'alcool!

LES BONNES ÉTIQUETTES

Dönnhoff (Nahe)
Cliffhanger (Moselle)
Egon Müller (Moselle)
Keller (Hesse rhénane)
Künstler (Rheingau)
Joh. Jos. Prüm (Moselle)
Dr. Loosen (Moselle)
Selbach-Oster (Moselle)

Tourtière du Lac et vallée du Rhône méridionale

LES BONNES ÉTIQUETTES

Château de Montfaucon
Domaine du Vieux Télégraphe
Château de Beaucastel
Domaine de Beaurenard
Domaine de la Mordorée
Domaine la Bouïssière
Clos Bellane
Clos de l'Oratoire des Papes
Montirius

Une fois que tu auras quitté la glace, un retour aux sources sera sans doute nécessaire. Pour toi, je sais que c'est la famille. Voici un accord inspiré du mets fétiche de ton coin de pays. Tu pourras remplir ton assiette autant que tu le veux!

Quelques gorgées de vin en ta compagnie m'ont permis de comprendre que tu préfères les rouges fruités aux tannins souples. Le grenache remplit tous ces critères. Le cépage brille dans les régions chaudes et arides, entre autres, dans la vallée du Rhône Sud. Souvent en assemblage avec le mourvèdre et la syrah, les vins de la région sont dotés de notes de fraise mûre, de framboise, de prune et de garrigue. Généreux en fruit et gorgés de soleil, ils sont généralement munis d'un taux d'alcool élevé. Les appellations de Côtes-du-Rhône et Côtes-du-Rhône Villages sont des vins simples mais agréables, qui offrent un bon rapport qualité-prix. Pour des vins plus complexes, explore les produits des régions de Cairanne, de Vacqueyras, de Lirac, de Gigondas, de Rasteau et de Châteauneuf-du-Pape. Un pur délice avec la tourtière du Lac, surtout lorsque celle-ci est composée de viandes sauvages.

Brownies, tarte au sucre, tartines de Nutella, crème glacée et vin de Constance

LA BONNE ÉTIQUETTE

Klein Constantia

———

* Séchés sur la vigne

Il y a des athlètes qui s'inscrivent dans les légendes du sport et il y a des vins qui marquent l'histoire. À toi pour qui ce n'est jamais trop sucré, voici donc un nectar parfait.

Aux 18e et 19e siècles, l'aristocratie et la royauté s'enivraient du vin de Constance. On dit que Napoléon, lors de son exil sur l'île Saint-Hélène, en buvait une bouteille par jour. Un vin noble, certes. Mais au 19e siècle, lorsque le phylloxéra — une sorte de puceron — a ravagé l'Afrique du Sud, la production de ce vin légendaire a cessé. Seuls les vieilles bouteilles et des auteurs comme Baudelaire, Charles Dickens et Jane Austen, qui citaient le plaisir des vins de Constance dans leurs ouvrages, gardaient ce trésor vivant.

En 1986, la maison Klein Constantia a fait renaître l'élixir. Situées au pied du mont Constantiaberg, dans la région du Cap, les vignes de muscat de Frontignan bénéficient d'un climat tempéré et de nuits fraîches, où l'exposition nord-est favorise la maturation des grappes. Élaboré à partir de raisins passerillés*, ce vin de dessert est naturellement sucré. On ne compte pas les calories: on se fait plaisir. Le coût de la bouteille est tout à fait justifié.

P.-S. Je te suggère d'en verser quelques gouttes sur la crème glacée à la vanille...

STEVEN GUILBEAULT

Steven Guilbeault

**ENVIRONNEMENTALISTE VULGARISATEUR
MILITANT PASSIONNÉ**

Le mot «groupie» ne fait pas partie de mon vocabulaire. Enfin, pas très souvent. Sauf quand il s'agit de parler de mon rapport à Gandhi, au dalaï-lama, à René Lévesque, à Leonard Cohen et... à Steven Guilbeault. Pour tous ceux qui s'intéressent à l'environnement, Guilbeault est un modèle. Au moment d'écrire ces lignes, mon temps est justement partagé entre l'écriture d'un livre et l'organisation de la première conférence sur les répercussions des changements climatiques dans le domaine viticole au Canada. J'ai besoin d'aide, de conseils et, surtout, de subventions. Steven est une figure publique; moi, une simple inconnue. J'ai donc frappé à sa porte... et un monde de possibilités s'est ouvert.

Il y a eu plusieurs échanges de courriels, mais c'est la deuxième fois que je rencontre le cofondateur d'Équiterre en personne. Valise à la main, Steven arrive de Québec, et il doit repartir pour la capitale nationale tout de suite après notre entrevue. Entre des funérailles et une réunion importante avec le gouvernement, il fait un aller-retour pour honorer sa parole et venir me rencontrer. Ce n'est pas un mythe: il est authentique. C'est un homme de convictions.

À cinq ans, Steven se destinait déjà au militantisme environnemental. À preuve: son instinct l'a amené à grimper dans un arbre pour le protéger alors que des promoteurs immobiliers s'apprêtaient à le couper. Sa vocation, il l'avait déjà en lui. «Mon père était boucher et ma mère était mère au foyer. Ce ne sont pas des gens qui étaient militants. J'ai un oncle qui était missionnaire, et j'étais très près de lui:

c'est quelqu'un qui m'a beaucoup influencé et qui m'a ouvert les yeux sur plein de choses. Et puis, je pense que le fait que la forêt ait été mon terrain de jeu a fait en sorte que j'ai développé une proximité et une préoccupation pour ça assez jeune.»

On a tous des passions, des certitudes. Mais la flamme est plus ardente pour certains.

À l'époque où Steven travaille pour Greenpeace, ce n'est pas un doux braisier qui l'alimente: il revendique, et ses gestes sont très visibles, parfois provocants. Il escalade la tour CN, il se retrouve en prison plus d'une fois... Aujourd'hui, son influence sur les questions environnementales est plus grande que jamais, mais il semble plus posé. «Quand j'étais plus jeune, j'étais très, très, très révolté, et je ne savais pas trop quoi faire avec ça. Tout ce mouvement-là m'a beaucoup aidé à canaliser cette révolte. Ce n'était pas juste une *job*: ça me permettait de donner une voix à ce petit volcan qui brûlait à l'intérieur de moi. Mais même quand j'étais à Greenpeace, j'ai toujours pensé qu'il y a un temps pour chaque chose. Il y a un temps pour escalader la tour CN et monter les banderoles, et il y un temps pour s'asseoir avec des gens et essayer de trouver des solutions. Je pense que tu ne peux pas juste te faire arrêter. Ce n'est pas comme ça que je vois mon action. Pas plus que tu ne peux pas juste parler... Des fois, il faut monter le ton. Des fois, je ne suis pas d'accord, et il faut que je mette le poing sur la table», confie Steven.

Steve Jobs disait que seuls ceux qui sont suffisamment fous pour penser qu'ils peuvent changer le monde y arrivent. En décembre 1997, les actions de Steven Guilbeault redéfinissent les règles du jeu quant à la responsabilité des États confrontés aux changements climatiques. Il raconte: «Quand on organise une grande conférence, il y a une grosse phase préparatoire. Je faisais partie de la délégation canadienne et je représentais souvent les ONG. En 1997, nous étions en train de préparer les textes de base qui allaient servir à la négociation pour le protocole de Kyoto. La délégation que nous avions à ce moment-là était dirigée par un gars qui venait du ministère des Affaires étrangères, un sous-ministre à la Sécurité et aux Affaires globales. C'était un diplomate de carrière; un homme très sérieux et un peu *straight*. Il me regardait d'un drôle d'œil, moi, l'écolo, avec mes habits de l'Armée du Salut! Mais à force de se côtoyer, il a pu voir que je connaissais le sujet et que je pouvais contribuer aux travaux de la délégation. Et là, il était tard, le soir — minuit —; on était vraiment sur les derniers milles, à passer article par article et à adapter le texte qui allait servir de base. Mais il y a un pays, je ne me souviens plus lequel, qui a proposé d'enlever le bout d'un article. Cet article disait essentiellement qu'on allait revoir, sur une base régulière, les objectifs pour voir s'ils étaient toujours pertinents en fonction de la science. Et ils ont enlevé ce bout-là: "en fonction de la science".» Il appuie sur les mots et me regarde intensément, avant de poursuivre: «Si tu ne définis pas en fonction de quoi tu vas évaluer tes objectifs, ça peut devenir une discussion qui tourne en rond. La science a été très importante pour nous aider à comprendre les changements climatiques, et aussi pour faire évoluer notre réflexion et les négociations non seulement internationales, mais à l'intérieur des pays, des provinces, des municipalités et des entreprises. Alors j'étais assis dans le fond de la salle — je faisais partie de la délégation canadienne, mais n'étant pas un membre formel, je n'étais pas assis avec eux —, et je suis parti en courant pour aller les voir. J'ai dit à Paul Heinbecker, le gars du ministère des Affaires étrangères, qu'il fallait remettre "en fonction de la science". Il s'est alors tourné vers ses conseillers et il leur a demandé: "Vous en pensez quoi?" Ils ont répondu: "Steven a raison." Alors c'est cet article-là qui a servi de base pour dire que le protocole de Kyoto n'allait pas assez loin. Il fallait en faire plus. Pourquoi? Parce que la science nous a appris plein de choses: que nous n'allions pas assez vite, entre autres. C'est un des éléments qui fait que les pays se sont engagés à Paris à aller plus loin, à en faire plus.» Steve relate ce moment avec fierté. J'en ai des frissons.

Des militants, il y a en plusieurs. Mais tous n'ont pas la même capacité à se faire entendre, à faire bouger les choses. Pourquoi lui y parvient-il plus qu'un autre? «Ça, c'est une grosse question, dit-il. Si on demandait aux gens qui sont soit dans les médias, soit dans les entreprises, soit au gouvernement, je pense qu'ils répondraient que quand ils me parlent, ils ont l'heure juste. Si je fais une déclaration au public, si je pense que le gouvernement Couillard a fait un bon coup, je ne me gênerai pas pour le dire. S'ils font des choses avec lesquelles je ne suis pas d'accord, je vais le dire aussi. Je pense que je suis un bon communicateur. Les médias viennent vers moi car j'arrive à bien vulgariser.»

Steven a ce talent rare pour rassembler les gens autour d'une cause commune, même lorsque les partis politiques ont des divergences d'opinions. Il navigue sans perdre son cap. Il le confirme lui-même: «À part le gouvernement Harper, avec qui on n'a pas réussi — il ne voulait vraiment rien savoir—, on a toujours réussi à travailler avec les gouvernements. Je pense avoir contribué à faire en sorte, du moins certainement au Québec, que la question des enjeux climatiques ne soit plus un enjeu partisan. Quand je parle aux gens de la CAQ, du PQ, à Québec solidaire ou aux libéraux, il n'y a plus de débats quant à la nécessité d'agir. Les discussions portent maintenant sur les meilleurs moyens de le faire. On a fait beaucoup de progrès.» Un exemple concret? «En décembre dernier, l'Assemblée nationale a adopté un projet de loi à l'unanimité sur l'implication des transports.

C'est calqué sur ce que fait la Californie depuis plusieurs années. Il va falloir qu'un certain nombre de voitures vendues chaque année soient des véhicules sans aucune émission polluante, c'est-à-dire des véhicules électriques ou à l'hydrogène. Il va aussi falloir que ce pourcentage augmente d'année en année. Ce projet de loi est le résultat direct du travail d'Équiterre.» Il explique plus à fond: «Demande à n'importe qui dans le domaine, ils vont te le dire... Si Équiterre n'avait pas fait le travail qu'il a fait, il n'y aurait pas ce projet de loi, qui a été adopté à l'unanimité. Je pense que ça montre qu'on est capables de créer des consensus pour des enjeux qui sont compliqués, qui sont complexes, qui ne sont pas toujours rassembleurs, voire controversés.»

La critique semble toujours plus facile pour ceux qui observent. Les médias et les citoyens pardonnent difficilement lorsque les gens qui occupent l'espace public prennent un mauvais virage. Mais, comme l'explique Steven, personne n'est parfait: «Je pense qu'à l'époque du gouvernement libéral de Jean Chrétien, sur la question des changements climatiques, on a beaucoup mis l'accent sur les objectifs [en parlant des pourcentages de réduction des émissions de gaz à effet de serre]. C'était intangible pour le public. Aujourd'hui, je suis d'avis qu'il faut travailler beaucoup plus sur les moyens, sur la mise en œuvre. Si on avait mis davantage l'accent là-dessus à l'époque, ça aurait été plus difficile pour le gouvernement suivant [Harper] de tout défaire. Il faut se mettre à l'abri des décisions trop politiques.»

Afin de clarifier son propos, Steven ajoute: «Trump dit qu'il va défaire la réglementation environnementale. *Good luck, my friend...* Il y a des lois, des règlements. Il va essayer, il va réussir en partie, mais s'il va trop loin, il va se faire poursuivre par les États, les villes, les

DIS-MOI QUI TU ES, JE TE DIRAI QUOI BOIRE

tribunaux... comme ils l'ont fait pour les questions d'immigration. Ils vont dire: vous ne pouvez pas faire ça.» Décidément, il y a peut-être un peu de lumière dans tant de noirceur.

L'avenir est angoissant. Mais l'espoir grandit lorsqu'on s'attarde aux coins du monde qui adoptent des comportements progressistes en matière d'environnement. Les pays scandinaves sont un modèle à cet égard — on le sait depuis longtemps. En Norvège, une automobile sur trois est électrique. Il s'y vend plus de modèles Tesla que de Volkswagen! Plus une voiture à essence consomme, plus les taxes sont élevées au moment de l'acheter. Par contre, celui qui acquiert un modèle électrique ne paie pas de taxes. Au Canada, on crie lorsque Justin Trudeau demande 10 $ la tonne sur la taxe de carbone. En Suède, cette même taxe a été augmentée à 167 $ la tonne...

L'Allemagne prend aussi un bon virage. L'Écosse est très ambitieuse: elle a réussi à créer une grande cohésion sociale. Le pays qui surprend le plus? La Chine! Steven cite quelques données: «La Chine installe une éolienne toutes les heures. Ses habitants sont les plus grands producteurs de panneaux solaires au monde (70% de tous ceux qui sont fabriqués). Le pays aura aussi multiplié par 10 l'utilisation des véhicules électriques d'ici 2020, devançant tout le monde — et de loin. Les Chinois ont fermé 1 000 mines au charbon dans les deux ou trois dernières années. Ils sont devenus très proactifs sur les changements climatiques et sont devenus de grands fabricants de technologies propres.» Chine et bonnes nouvelles: un duo qui se fait rare. Lueur d'espoir, encore.

Mais si certains pays avancent, d'autres régressent et font peur. Les États-Unis, bien sûr, avec Trump, mais il y en a d'autres. «La Russie pollue beaucoup et n'est pas très proactive à cet égard. Il y a beaucoup de déforestation, aussi. Ce n'est pas une dictature, mais bien proche. C'est un pays très autocratique. L'Inde est un pays très populeux... En même temps, on comprend: les Indiens sont pris avec des problèmes de base et de pauvreté tellement importants. Si je dois brûler du charbon pour donner de l'électricité à mon monde, je vais le faire. Maintenant, si tu brûles du charbon, tu vas empirer leurs conditions de vie. Alors il faut réussir à les convaincre, mais il faut aussi leur donner accès à du financement», explique le militant.

Depuis que le gouvernement libéral est au pouvoir, on retrouve un pays qui est plus à notre image. Je demande à Steven si c'est une réalité ou une illusion... «Je n'ai pas de carte de membre du Parti libéral du Canada, mais depuis qu'il est au pouvoir, on a réussi à avoir un plan de lutte contre les changements climatiques avec la collaboration d'à peu près toutes les provinces, à l'exception de la Saskatchewan. Il y a aussi le Manitoba qui va embarquer. Dans le dernier budget, on parle de 25 milliards d'investissements dans les transports en commun. Sincèrement, je ne me souviens pas d'une époque où le gouvernement a investi autant dans le transport collectif. Aussi, les libéraux vont recommencer à appuyer le développement des technologies renouvelables, l'efficacité énergétique... Il y a de nouvelles lois qui s'en viennent: on va mettre en place une taxe sur le carbone au Canada. On ne sera pas toujours d'accord, mais on a fait beaucoup de progrès au fédéral.»

Changer le monde, un geste à la fois. Voilà ce que Steven Guilbeault inspire. Il transmet le goût du vert non seulement par son discours, mais par ses actions dans la vie quotidienne. Il utilise son vélo 12 mois par année, il n'a pas de voiture, il achète des vêtements écolos et locaux lorsque c'est possible, il mange très peu de viande... Et la liste continue. Pour vous et moi, la montagne semble parfois insurmontable. Son conseil? Commencer par une passion. Que ce soit dans la rénovation, la mode, l'automobile ou le domaine agricole, il y a aujourd'hui plusieurs choix «verts» qui s'offrent à nous. Un geste à la fois... Je lui sers un verre de vin bio. À la tienne, Steven!

Cher Steven, à mon tour de t'expliquer le jargon de mon travail. Dans le domaine viticole, la tendance est aussi au vert. Plusieurs programmes existent. Certaines maisons sont certifiées, tandis que d'autres pratiquent des méthodes écoresponsables sans remplir les papiers requis. En quelques lignes très simples, voici les termes qu'on entend souvent et leur définition.

BIO

Le producteur n'utilise aucun produit chimique (herbicide ou pesticide) dans son vignoble. Il encourage la biodiversité. Si la vigne est malade, il la traite avec des produits naturels.

Analogie: la personne qui souffre d'insomnie boit une tisane à la valériane au lieu de prendre un somnifère.

BIODYNAMIE

Doctrine basée sur la philosophie de Rudolf Steiner (1861-1925). Il s'agit d'une pratique établie pour promouvoir l'autosuffisance: tout ce qui sort de la terre revient à la terre. Le producteur encourage la biodiversité et cherche à traiter la cause du problème plutôt que le problème lui-même. Il prend aussi en considération l'influence qu'ont les astres sur les pratiques viticoles et vinicoles, et il n'emploie aucun produit chimique. Plusieurs préparations naturelles doivent être utilisées.

Analogie: la biodynamie est un peu au vin ce que l'homéopathie est à la médecine.

LUTTE RAISONNÉE

Le producteur choisit des méthodes pour promouvoir la biodiversité et limiter l'utilisation de produits chimiques.

Analogie: une personne fait de l'exercice et mange bien pour être en santé. Mais, parfois, un médicament est nécessaire pour vaincre la maladie.

VIN NATURE

Voilà un terme non légiféré. Un retour à l'œnologie ancienne, où le producteur intervient le moins possible. Le vin est produit de la façon la plus naturelle qui soit en ajoutant et en enlevant le moins de choses possible pendant la vinification. L'ajout d'une petite dose de dioxyde de soufre (SO_2) est généralement toléré pour protéger le vin contre l'oxydation, selon la philosophie du producteur. En général, les producteurs de vins nature travaillent soit en bio, soit en biodynamie.

Être vert jusque dans son verre

Plusieurs pays et régions ont mis sur pied des programmes en vue de réduire l'empreinte carbone et de promouvoir des choix écoresponsables, et ce, tant du côté de la vigne que de celui du chai. La liste est beaucoup plus longue, mais voici trois endroits qui m'inspirent — des endroits où l'on va au front pour donner des moyens aux producteurs de suivre la ligne verte.

Nouvelle-Zélande

Mon voyage dans ce pays a été une révélation. Les Néo-Zélandais sont verts jusqu'au bout des doigts! Là-bas, prendre soin de la planète, c'est un devoir, et non une option.

FAITS INTÉRESSANTS

En 2016, 98% des vignobles de la Nouvelle-Zélande étaient certifiés par le programme de durabilité du pays (Sustainable Winegrowing New Zealand).

De plus, un grand nombre de ses producteurs pratiquent la viticulture biologique et biodynamique.

Les Néo-Zélandais ont séduit les amoureux du vin dans les années 1980 grâce à leurs sauvignons blancs exubérants et légèrement sucrés. Or, le pays des moutons est capable de beaucoup plus. Le dynamisme et le désir de produire des vins de grande qualité se sont fait sentir au cours de la dernière décennie. Désormais, la tendance est au sauvignon blanc sec, plus restreint et moins dilué. Les maisons misent aussi sur la subtilité entre les différents terroirs d'une région. Et au-delà du sauvignon blanc, il y a tout un monde à explorer! Leurs expressions diffèrent, mais on peut dire qu'en général, les chardonnays offrent un joli équilibre entre rondeur et acidité. Et lorsqu'il est présent, le fût de chêne vient appuyer les notes de fruits à noyau. Quant aux pinots noirs, ils exsudent un fruit rouge charmeur, mais la généralité s'arrête là: les types sont en effet multiples selon les régions où l'on se trouve. Par exemple, ceux de Marlborough sont plus légers, tandis que les pinots plus structurés de Central Otago portent le sceau d'un soleil plus intense et d'un climat continental. La région de Martinborough sera à découvrir pour ceux qui veulent un juste milieu. Et je ne vous parle même pas de ses syrahs, des assemblages inspirés des rouges de la région de Bordeaux ou des viogniers, des pinots gris et des rieslings...

LES BONNES ÉTIQUETTES

Dog Point
Felton Road
Kumeu River
Supernatural Wine Co.
Rippon (importation
  privée: Rézin)

P.-S. Pour mieux te faire comprendre, si jamais tu visites ce coin du monde: *savvy* = sauvignon blanc, *chardy* = chardonnay!

Oregon

Cet État a mis sur pied plusieurs associations en vue de promouvoir des choix écoresponsables et de mieux encadrer les producteurs. Les communautés travaillent ensemble, et nombreux sont les artisans qui adhèrent à plusieurs, voire à tous les programmes.

QUELQUES ASSOCIATIONS À SOULIGNER:

LIVE. *La durabilité dans tout son sens: un engagement environnemental et social.*

Salmon Safe. *Une association établie pour garder les bassins hydrographiques urbains et agricoles propres afin que le saumon puisse frayer et prospérer.*

Oregon Tilth. *La certification biologique de l'Oregon.*

LES BONNES ÉTIQUETTES

Cristom Vineyards
Domaine Drouhin
Evening Land
Bergström Wines
Ken Wright Cellars
Elk Cove Vineyards
The Eyrie Vineyards
(importation privée:
Les Vieux Garçons)

La réputation de l'Oregon repose sur les pinots noirs de Willamette — et pour de bonnes raisons. Si les œnologues de ce coin des États-Unis prennent souvent la région mère de la Bourgogne comme modèle, les vins de Willamette ont leur style bien à eux. Dévoilant des arômes de fruits rouges croquants comme la cerise, la fraise et la framboise, les pinots de là-bas sont tout à fait charmeurs. Des vins qui vont de légers à moyennement charpentés, avec des tannins plutôt fins, selon la main du vinificateur. On y dénote moins de notes végétales que dans les bourgognes rouges. Habituellement, Mère Nature y est plus généreuse que du côté des bourguignons. Ainsi, même si les vins sont chers, le risque de déception est moins considérable pour les amateurs.

McLaren Vale

Une région viticole située dans l'Australie du Sud que j'affectionne pour une longue liste de raisons. Sa conscience environnementale en fait partie. Au début des années 2000, McLaren Vale a mis sur pied un programme qui porte le nom de SAW (pour *Sustainable Australia Winegrowing*). L'initiative vise à maximiser la durabilité environnementale, sociale et économique.

QUELQUES FAITS SUR CETTE RÉGION:

Elle est la première à avoir construit le plus gros réseau d'eau recyclée — c'est-à-dire que 100% de l'eau qu'on utilise dans les vignes là-bas provient d'une source durable autre que les rivières.

C'est la région en Australie où l'on trouve le plus grand nombre de producteurs certifiés «bio» et «biodynamie».

Le programme SAW (Sustainable Australia Winegrowing) *est gratuit et accessible à tout le monde, y compris d'autres pays qui s'y intéresseraient.*

Steven, l'idée de plier bagage et de déménager dans ce coin idyllique m'a traversé l'esprit plus d'une fois! Le golfe Saint-Vincent borde la région à l'ouest, et la chaîne de montagnes des Mount Lofty Ranges à l'est et au sud, ce qui donne naissance à plusieurs microclimats. Ajoute à cela une géologie complexe, où l'on trouve plus de 40 types de sols, et tu as une région qui offre une palette de vins pour le moins diversifiée. Le shiraz est le cépage qu'on y plante le plus, mais le réel trésor de McLaren Vale, ce sont les vieilles vignes de grenache. Oublie les vins surboisés et trop mûrs. La nouvelle mode préconise un grenache frais et croquant, avec des arômes séduisants de fraise et de cerise, légèrement floraux. On parle alors souvent d'un grenache qui «pinote», en ce sens où on y recherche le côté délicat du pinot noir. À servir frais. Sinon, les cépages italiens, espagnols et portugais y prennent de plus en plus d'importance: pensons entre autres au touriga nacional, au mencía, au tempranillo, au sangiovese, à l'aglianico, au montepulciano, au nero d'avola, à la barbera... Mon coup de cœur va au fiano. Un blanc vif qui fait saliver grâce à des notes florales, de zeste d'orange et de fruits à noyau.

LES BONNES
ÉTIQUETTES

Jauma
Yangarra Estate Vineyards
Alpha Box & Dice
Ochota Barrels
  (importation privée:
  La Céleste Levure)
BK Wines (importation
  privée: Ward & Associés)

Patrick Lagacé

**SÉRIEUX   DIRECT   TIMIDE
INQUISITEUR   SENSIBLE**

Il tombe des clous. Je tourne en rond depuis 15 minutes: impossible de trouver du stationnement. Les questions défilent une à une dans ma tête. Exercer un art devant celui qui le maîtrise, c'est intimidant.

On a rendez-vous dans un minuscule café de Montréal. L'endroit, qui est habituellement moins achalandé, est plein à craquer. Quelques centimètres séparent les tables les unes des autres. Collé sur la machine à espresso, le comptoir nous permet d'être un peu plus anonymes.

Je suis tellement concentrée lorsque Patrick Lagacé arrive que j'oublie de commander un café, ou, même, de lui en offrir un. Je vais droit au but. Qu'est-ce qui fait que Lagacé s'est adouci, ces dernières années? «Ça s'appelle vieillir. La paternité m'a changé, la mort de mes parents m'a changé, rencontrer du monde me change. Je fais du reportage pour *La Presse*: je ne suis pas juste assis à mon bureau. Je parle à du monde, je suis témoin de situations. C'est sûr que ça te confronte! Je n'ai pas perdu le sens de l'indignation. Je le canalise autrement. Avant, je voulais planter tout le monde. Maintenant, j'essaie d'expliquer le monde», confie-t-il. Cette évolution, je la sens bien: il est loin d'être arrogant. J'ai devant moi un homme gentil, généreux et soucieux de me donner l'information dont j'ai besoin. Je lui demande s'il y a eu un moment déterminant qui l'a éveillé. «C'est certain qu'il y en a eu un, mais je ne peux pas l'identifier. Je pense que quand tu es jeune et que tu commences, tout ce que tu as, c'est ta fougue et ta capacité à travailler. Et un moignon de talent... Et, au fil des années, si tu as le désir d'apprendre, tu te raffines: tu deviens meilleur. Dans mon cas, j'ai compris que je pouvais faire confiance à mon expérience, à ma force et à mon talent — pas juste à ma fougue, à ma capacité d'indignation et à une certaine muscularité dans le propos. Je pense que c'est ça qui a changé ma vie. Depuis trois ou quatre ans, ça coule de source quand j'écris. Avant ça, c'était plus forcé. Là, maintenant, j'ai trouvé ma voie avec un e, et ma voix avec un x. Mais tu ne te trompes pas quand tu dis que je me suis adouci.»

C'est sans doute mon sens de l'aventure et mon besoin d'être sur le terrain dans mon propre métier qui me font croire que l'idéal de tout journaliste est d'être correspondant. Surtout lorsqu'on est à la fois talentueux, inquisiteur et audacieux. Bref, tous les atouts pour réussir dans des circonstances souvent ardues. Patrick Lagacé ne chérit pas ce rêve. «J'aime ça aller en reportage à l'étranger, mais je ne me verrais même pas habiter à Paris, même si c'est une ville que j'aime. Peut-être un an ou six mois... Mais correspondant à Paris ou à New York: *shoot me*. Je suis bien à Montréal!» Il poursuit: «Je ne suis pas certain que mon style se prête à couvrir l'actualité internationale. Mais peut-être que je me trompe.» On ne partage pas la même opinion. Je me dis tout bas que peu importe l'endroit, le flair et la sensibilité suffisent à établir une proximité.

Il n'est pas question pour Patrick de s'exiler. Sa vie professionnelle bat son plein et les succès s'enchaînent. Si son rêve de petit gars d'écrire pour un journal a toujours été là, tout est arrivé par hasard. «Tout est un accident. Même *La Presse*, c'était un accident. Mon plan de match, c'était de rester au *Journal de Montréal*. Il y a eu cette chicane et je suis parti. Et je suis content que ça se soit passé ainsi, quand je regarde dans le rétroviseur, parce que les choses au *Journal* se sont envenimées et il y a eu le lock-out», explique Lagacé. Il partage sa métaphore préférée, qui est à l'image de son parcours. «La vie, c'est un peu comme quand tu commences une partie de billard. Tu casses les boules qui sont en triangle et tu ne sais pas où elles vont aller. C'est une belle métaphore de la vie. Pour la mienne.»

Qu'est-ce qui sort le journaliste assumé de sa zone de confort? *Deux hommes en or* vient tout de suite sur le sujet. «Je n'avais jamais fait de *show* en studio. Aux *Francs-tireurs*, il n'y avait pas de plateau, de régisseur de plateau, de public et de décomptes très stricts pour des entrevues. Faire *Deux hommes en or*... Faire le numéro d'ouverture du début... Je ne suis pas un humoriste. J'ai le rôle du *straight man*, mais quand même, ce n'est pas moi.»

Ce dernier commentaire confirme l'impression que j'ai depuis le tout début de la rencontre. Patrick parle de moins en moins fort. Il est soucieux que les gens autour de nous écoutent l'entrevue. Est-ce que tu es un homme gêné dans la vie, Patrick? «Oui. Moins maintenant, mais en maternelle, à la rentrée, j'ai fugué de l'école pour retourner chez moi. À la base, je suis quelqu'un de gêné. Pas anxieux. Pas maladivement gêné. Mais il a fallu que je travaille beaucoup là-dessus», confie-t-il.

Quand Lagacé dirige des entrevues, il semble en parfait contrôle. Concentré, il traque les réponses avec une vivacité d'esprit et une précision qui ne laisse aucun espace au sujet pour se défiler. Lui arrive-t-il d'être déstabilisé? «Une des entrevues les plus déstabilisantes que j'ai faites, c'est avec Roy Dupuis aux *Francs-tireurs*. Je m'attendais à ce que ce soit un chemin de croix, et finalement, pas du tout: il a été généreux. Il était ouvert et dans de bonnes dispositions. Après, je lui ai dit que j'étais déstabilisé. Que je m'étais fait dire qu'il n'était pas "interviewable". Il m'a répondu: "Quand on me pose de bonnes questions, je donne de bonnes réponses." Pour moi, ce qui est déstabilisant, c'est quand l'invité s'ouvre parce que tu as trouvé les bonnes clés.»

Deux bancs près de la fenêtre qui semblent plus isolés se libèrent. Je propose de changer de place pour qu'il puisse parler plus librement. Il commande un café. Lorsqu'il me rejoint, le café est finalement pour emporter... Faute de trouver un endroit vraiment tranquille, on termine l'entrevue dans sa voiture.

Il arrête la musique lorsque je m'assois côté passager. Le magnifique texte qu'il a écrit pour rendre hommage à Leonard Cohen à la suite de la mort de ce dernier me vient en tête. Lagacé est un mélomane, avais-je pensé après la lecture de cette chronique. «J'ai coulé la flûte à bec à l'école. Pas de *joke*... J'ai des goûts musicaux lamentables. Une chance qu'il y a Shazam!» dit-il en riant. Il explique que c'est le grand poète qu'est Cohen qui le touche tant. «Il est l'ultime orfèvre des mots. Mais je ne suis pas mélomane.»

L'entrevue terminée, on se rend chez l'éditeur pour la séance de photos. À l'abri du regard du public, un verre de nebbiolo à la main, Lagacé est décontracté. Et c'est à mon tour d'être déstabilisée. Tant en entrevue que sous la lentille, cet être est d'une générosité inattendue. Tu as raison, Patrick: la bonté des gens, c'est ce qui est le plus touchant.

DIS-MOI QUI TU ES, JE TE DIRAI QUOI BOIRE

Parce que tu détestes le jargon des sommeliers et tous les fruits imaginables qu'on peut énumérer lorsqu'on décrit un cépage, j'évite de parler d'arômes. Je me concentre plutôt sur la structure, le style des vins et les affinités avec la table. Merci pour le défi!

Bordeaux rouge

LES BONNES ÉTIQUETTES

Abordables pour des bordeaux, ils se trouvent habituellement en succursales:

Château Sociando-Mallet
(Haut-Médoc)

Château Chantemerle
(Médoc)

Château Lanessan
(Haut-Médoc)

Château Gloria
(Saint-Julien)

Château Haut-Chaigneau
(Lalande-de-Pomerol)

Dans les bons millésimes, même si la jeunesse s'exprime par une austérité accentuée et des tannins fermes et astringents, les excellents bordeaux annoncent déjà ce qu'ils deviendront lorsqu'ils seront grands. Avec les années, ces bouteilles — dont la noblesse exige le respect — s'adoucissent et acquièrent une palette aromatique beaucoup plus généreuse.

On fait souvent référence aux rives lorsqu'on situe une appellation à Bordeaux. Ceux de la rive droite (par exemple Saint-Émillion et Pomerol), dont l'assemblage repose principalement sur le merlot, sont plus charmeurs dans leur jeune âge et évoluent plus rapidement que ceux de la rive gauche. Le cabernet sauvignon est à l'honneur dans les appellations de cette dernière (comme Haut-Médoc, Saint-Julien, Saint-Estèphe, Margaux et Pauillac), ce qui confère des tannins plus puissants que ceux de leurs voisins. La patience et un vieillissement en cave plus long sont généralement de mise.

Dans les deux cas, ces vins rouges sont dotés d'une bonne acidité. Ils ont un corps de moyen à charpenté et ils montrent le meilleur d'eux-mêmes lorsqu'ils sont accompagnés d'une viande rouge. Je pense entre autres à ce mets fétiche que tu cuisines, soit les jarrets d'agneau confits de Martin Picard. Ce plat adoucira les tannins d'un bordeaux encore trop jeune et rigide. Si c'est le cas, quelques heures en carafe avant le repas sont recommandées.

En passant, les somptueux liquoreux de la région de Sauternes, à Bordeaux, constituent un bon choix si jamais tu décides de boire un verre avec les cannelés, les madeleines et les meringues que tu auras préparés pour ton fils... Du sucre pour adulte!

«Patience et longueur de temps font plus que force ni que rage.»

Jean de La Fontaine
(*Le Lion et le Rat*)

Rouges légers de la Sicile

Histoire d'évoquer ta destination préférée... et de te faire rêver un peu d'ici à ce que tu aies la chance d'y retourner!

Si les sentiers un peu moins battus de la Sicile t'ont séduit lors de tes voyages, ses vins devraient en faire tout autant. Bien que la région soit capable de produire des vins rouges corsés, ce sont les rouges légers et délicats qui surprennent. Étonnant pour une île qu'on célèbre pour son climat méditerranéen.

Souvent surnommé «le pinot noir de la Sicile», le nerello mascalese issu des vignes situées sur les collines de l'Etna produit des vins qui conjuguent élégance, fraîcheur et minéralité. Ne te ne laisse pas influencer pas ses tannins légers et sa couleur pâle et grenat: s'il se boit avec beaucoup de plaisir en jeunesse, le cépage est capable de bien vieillir.

LES BONNES ÉTIQUETTES

Plus simple en bouche, mais tout aussi charmeur, le frappato est un autre cépage rouge à découvrir. Ses tannins souples, son corps léger et ses arômes fruités rappellent les crus du Beaujolais. D'accord, je triche un peu pour mieux te le décrire en peu de mots: un bol de fraises sauvages me vient en tête...

COS
Occhipinti
Tami
Planeta
Masseria Setteporte
Tenuta delle Terre Nere

Voilà qui est parfait pour quelqu'un qui, comme toi, préfère le rouge, même avec du poisson.

Pinot gris d'Alsace

Ils sont charpentés et ronds en bouche, déployant une certaine puissance aromatique et des notes exotiques qui n'ont rien à voir avec les saveurs plus neutres qu'on trouve dans les pinots grigio italiens d'entrée de gamme. Des vins généreux, qui enveloppent la bouche avec leur texture parfois un peu huileuse. Les meilleures bouteilles exhibent une minéralité qui procure une fraîcheur et qui équilibre le gras du vin.

LES BONNES ÉTIQUETTES

Certains de ces vins de table seront complètement secs, tandis que d'autres dégageront une légère sucrosité. Difficile de s'y retrouver sans poser quelques questions aux sommeliers, étant donné que les étiquettes donnent rarement cette information. N'aie aucune crainte, Patrick: dans les deux cas, le vin sera en parfaite symbiose avec un autre plat que tu affectionnes, soit les pétoncles sautés dans le sirop d'érable.

Domaine Weinbach
Domaine Ostertag
Domaine Barmès-Buecher
Josmeyer
Domaine Albert Mann
Domaine Marcel Deiss

CHAMPLAIN CHAREST

Champlain Charest

(et le fantôme de Jean-Paul Riopelle)

TÉMÉRAIRE   GÉNÉREUX
MYTHIQUE   CURIEUX

Anatole France disait: «J'ai toujours préféré la folie des passions à la sagesse de l'indifférence.» Mon professeur de jazz, lui, répétait que le plaisir est dans l'exagération. Les grandes choses naissent rarement de la sagesse. Pour Champlain Charest, il n'est jamais trop tôt pour ouvrir une bouteille de bourgogne. Il est 11 h du matin; il a tout de même attendu quelques heures avant de m'offrir le premier verre.

Bien à sa place derrière le bar du Bistro à Champlain, où les murs résonnent encore des récits du passé, M. Charest me raconte son histoire. Monique Nadeau, sa femme et complice des 50 dernières années, ajoute son grain de sel lorsqu'une date ou un détail précis lui échappe. Le restaurant a fermé ses portes en novembre 2014, mais le feu qui anime cet homme est toujours bien vivant. Devant la bouteille de vosne-romanée, Champlain Charest partage des histoires qui transcendent le possible. Il ne compte plus le nombre d'écrasements qu'il a vécus en pilotant des avions. Un, en particulier, est digne d'un film de James Bond! Mais c'est Champlain qui est aux commandes de l'avion. «On est au Costa Rica avec toute la famille et on décide de se rendre à Panama. On s'en va à l'aéroport de San José et on fait le plein. On inspecte l'avion et tout est beau. On décolle. On passe au-dessus de la ville, puis ma femme dit: "Il y a un cimetière. Si on s'écrasait, on serait vite rendus." Au même moment, le moteur de l'avion s'arrête! On était à 1 000 pieds au-dessus du cimetière. On essaie de pomper pour voir ce qui se passe. Le moteur repart deux secondes et s'arrête de nouveau. On voit un stade de baseball avec une énorme croix au bout du terrain — une croix aussi grosse que celle du mont Royal. Et on décide qu'il faut arrêter là. Il y a plein de monde: c'est le Vendredi saint! On donne un grand coup de pédale avant de frapper la croix. L'aile et l'hélice ont été détruits, on a soulevé un paquet de poussière… mais quand les gens sont venus ouvrir les portes, ils nous ont trouvés sains et saufs.»

Cet accident d'avion a eu lieu au printemps 1974. L'automne suivant, Champlain ouvrait les portes de son premier restaurant, Le Va-nu-pieds. Son ami, le peintre Jean-Paul Riopelle, l'avait convaincu d'acheter avec lui le magasin général de Sainte-Marguerite-du-Lac-Masson pour sauver le bâtiment historique de la démolition. Une belle occasion de faire briller la passion de Champlain, qui comptait déjà sur une «modeste» réserve de 1 000 bouteilles…

L'établissement, qui a existé et qui a ensuite fermé ses portes en 1981 pour échapper à la faillite, a rouvert en 1987 sous le nom de Bistro à Champlain, une véritable plaque tournante. Jeune, je me souviens d'avoir rêvé de cette époque où les artistes se réunissaient au Café de Flore, dans le quartier Saint-Germain-des-Prés, à Paris. L'art de vivre, la dextérité de la discussion et la philosophie de la vie menaient à des conversations qui faisaient naître des livres, des tableaux, des scénarios… À Sainte-Marguerite, Le Bistro à Champlain, c'était un peu ça. Seulement, les personnages qui l'ont fréquenté ne sont pas Pablo Picasso, Jean-Paul Sartre, Simone Signoret ou Simone de Beauvoir, mais plutôt Jean-Paul Riopelle, Marc Séguin, Charles Carson et j'en passe. Les artisans du vin, tels Gérard Chave et Aubert de Villaine, en faisaient leur maison pendant leurs séjours au Québec. Bref, des grands de notre temps. Et Riopelle a été l'une des rencontres les plus marquantes pour Champlain.

Il s'est rendu à Paris en 1967 spécialement pour faire connaissance avec le peintre. Déjà admirateur de son travail, Champlain s'est procuré son premier tableau de l'artiste en gagnant une partie de bras de fer proposée par Riopelle après une soirée bien arrosée. Par la suite, les deux hommes ne se sont plus jamais quittés. «Riopelle a accaparé les trois quarts de ma vie sur le plan artistique. C'est l'homme le plus important que j'ai rencontré. Comme quand tu dis: j'ai bu un Pétrus, le summum des grands vins. Eh bien c'est la même chose sur le plan humain», compare-t-il.

Qu'est-ce qui unissait le médecin (Charest était radiologue au départ) et Riopelle? «Nos différences. Lui, il était un peu dans les nuages, les pensées... Je suis plus physique. Lui, il était plus spirituel et il voyait des choses que je ne voyais pas. Il parlait de choses dont moi je n'avais pas idée. Il me sortait de mon milieu et j'en avais besoin. Je travaillais très fort, j'avais déjà une famille, et on avait des goûts... de luxe. Mais je ne viens pas d'une famille riche. Moi, je viens d'une ferme à Rivière-du-Loup, et mes parents étaient pauvres. Pour gagner mes études à Montréal, j'ai été débardeur», raconte Champlain.

Le collectionneur de vins se voit comme un cartésien, un homme qui vient de la terre. Mais pour démontrer une aussi grande ouverture à l'art, il faut bien avoir la fibre artistique, sinon une grande sensibilité — ce dont l'ex-médecin n'est pas dépourvu: «En radiologie, l'image est créée, et il faut savoir la lire, la reconnaître. Cela fait appel à une part d'imagination... C'est rare qu'un peintre ne passe pas par le concret pour aller vers de l'abstrait. Il se sert d'une chaise; il peut la dessiner et, ensuite, faire toutes sortes de fantaisies autour de cette chaise. C'est la même chose en radiologie. Grâce aux connaissances médicales, on peut extrapoler. On peut

diagnostiquer une maladie à partir d'une image.» Il fait une pause, prend une gorgée et poursuit: «C'est comme le vin: c'est rare qu'on goûte quelque chose de précis. C'est toujours un amalgame, et c'est ça qui en fait la grandeur. Pour moi, la radiologie, c'était la grandeur. Et puis j'avais un bon pif!» Plus tard, quand le pragmatique Charest a rencontré Riopelle, d'autres connexions ont pris forme. «Ce fou me parlait de choses... avec des pensées comme ça. On se demande comment... D'où ça vient, son affaire? Ce que j'ai appris de lui et d'autres artistes, c'est qu'à partir de choses concrètes, on peut créer d'autres choses.»

Champlain Charest a été beaucoup plus que l'ami de Riopelle: il a été son ancrage. C'est lui-même qui a supervisé la construction de la grange du peintre, sur un terrain qui lui appartenait et qu'il a ensuite vendu à Riopelle. «Quand je l'ai connu, il ne venait plus au Québec. Et, après, il est revenu périodiquement. Ça dépendait des saisons, de la chasse, de la pêche, des expositions... Finalement, on n'était pas côte à côte, mais on vivait comme en symbiose, même s'il faisait beaucoup de choses dans son monde que je ne connaissais pas et qu'il ne savait rien de la radiologie. On a vécu beaucoup comme ça quand il était ici, car il n'aimait pas vivre seul, même s'il était gêné. Et puis il avait besoin de quelqu'un pour administrer ses affaires: il n'était pas capable de signer un chèque. Lui, il faisait des tableaux», explique le mécène.

Les histoires entre Riopelle et Charest sont multiples, complexes et profondes, et parfois lourdes. Mais Champlain parle du peintre avec amour et dévotion. Je lui demande quelle était la plus grande qualité de son ami. «Sa peinture! Regarder un tableau de Riopelle, c'est vivre un rêve; un rêve basé sur une réalité qu'il embellit parfois, ou alors qu'il rend moins belle. Ses paysages, parfois, on ne les reconnaît pas... C'est une magnification que l'on voit. Comme un bois à l'automne, avec les couleurs: si tu magnifies, on n'en reconnaît pas les contours. On a de la difficulté à se reconnaître dans une magnification ou une minification. Jean-Paul disait: "L'abstraction totale, ça n'existe pas; il y a toujours une idée derrière"... Il avait un talent extraordinaire, mais il était incapable de clouer un clou! Une fois que ses tableaux étaient finis, on s'amusait, on allait à la chasse et à la pêche... C'était mes vacances. Jean-Paul était toujours heureux dans le bois. C'était un compagnon extraordinaire! Il avait énormément de connaissances dans beaucoup de domaines. En ornithologie — il connaissait tous les oiseaux. Je ne sais pas où il a appris ça, mais il entendait quelque chose et il savait... Il avait une mémoire visuelle phénoménale. Et puis il savait écouter et entendre. Sa vie était basée sur ça: il pouvait voir des choses qu'on ne voyait pas. Un homme de contrastes. C'est ça, la beauté, pour moi.»

Un artiste étend ses couleurs sans avoir à se justifier. Champlain, lorsqu'il allait à la banque pour emprunter des milliers de dollars en vue d'acheter du vin, il devait s'expliquer. Son plaidoyer? Le vin était bon! Une bouteille partagée au bureau du banquier suffisait à convaincre ce dernier que sa demande était parfaitement rationnelle. Mais quand on grandit dans une famille pauvre, même lorsqu'on y puise les outils essentiels pour réussir, on a toujours peur de manquer de quelque chose. La source de l'obsession de Champlain pour l'achat de vins vient de là. Lorsqu'il a fermé les portes du bistro, en novembre 2014, il possédait 30 000 bouteilles — une valeur de 6 millions de dollars. «J'avais un grand inventaire du Domaine de la Romanée-Conti. Tout le monde ne peut pas se permettre ces bouteilles. Je devais beaucoup

d'argent à la banque. Mais mon idée, ce n'était pas d'investir dans le vin: c'était d'en avoir, du vin... J'avais peur d'en manquer. Parce que chez nous, dans le Bas-du-Fleuve, toutes les bonnes choses, on ne les avait pas: on n'avait pas l'argent. Moi, je m'étais dit que si, dans la vie, il y avait des choses que j'aimais beaucoup, j'essaierais de ne pas en manquer. Ça a été un peu le leitmotiv de ma cave. J'avais 1 000 bouteilles de Pétrus, mais j'allais à la banque et j'empruntais. C'était une maladie.»

Ce syndrome d'achat compulsif, c'était du sérieux. Champlain étudiait, faisait ses recherches. Il a été rigoureux et travaillant dans tous les aspects de sa vie. L'homme a frôlé la faillite dans les années 1980, lorsque les taux d'intérêt ont monté — il avait emprunté de partout. Mais son bagou, dit-il, a fait en sorte qu'il s'en est toujours sorti. Il avait du flair dans tout. «Le risque faisait partie de ma vie. Le vin était un gros risque. Je paraissais d'une richesse inouïe et je n'avais pas une *cenne*: j'étais "emprunté".» Jusqu'à ce qu'il vende — à la Société des alcools du Québec et, en 2006, ses mathusalems (bouteilles de six litres) à Goldman Sachs, à New York, à un vice-président. «J'ai vendu à un bon prix et ça m'a sauvé. Sans honte, je dois dire que c'est grâce à Romanée-Conti que j'ai fait de l'argent», raconte-t-il.

Au bistro, il reste plusieurs traces de ces années que je n'ai pas eu la chance de connaître — des toiles, entre autres, toutes plus inspirantes les unes que les autres. En me retrouvant dans cet endroit mythique à partager une bouteille avec Champlain et sa femme, il m'est difficile de ne pas être remplie d'émotions. N'est-ce pas Riopelle qui disait que ce qui importe, «ce n'est pas le nombre de fois que tu rencontres quelqu'un, mais la qualité de la rencontre»? Merci, Champlain. Vous êtes un grand homme.

DIS-MOI QUI TU ES, JE TE DIRAI QUOI BOIRE

CHAMPLAIN CHAREST

Pourquoi la Bourgogne?

«Je suis un amateur d'acidité, parce que c'est la colonne vertébrale du vin pour moi... Dans ses grands livres, Émile Peynaud [un œnologue français] avait dit que l'acidité, c'est l'ennemi du cabernet sauvignon. J'avais compris ça. Je peux boire une bouteille de Romanée-Conti n'importe quand.»

— Champlain Charest

On ne dit pas à Champlain quoi boire: c'est lui qui nous verse un verre. Tout amoureux du vin voudrait pouvoir puiser dans la mémoire olfactive encyclopédique de cet homme. Les gens de sa génération qui ont eu un intérêt pour le vin tôt dans leur vie ont eu la chance de se procurer de grands noms à des prix raisonnables. Un de mes clients à Vancouver m'avait offert un Château Latour embouteillé l'année de mon anniversaire, une bouteille qu'il avait payée 10$ à l'époque. Aujourd'hui, lorsque le nouveau millésime de Latour est mis sur le marché, il peut se détailler 1 500$, voire davantage. Pour sa part, Champlain raconte avoir déjà payé 3$ pour des bouteilles du prestigieux Château d'Yquem. De telles occasions ne se présentent plus. Les grandes adresses de la région de Bordeaux et de Bourgogne affichent aujourd'hui des prix exorbitants et sont hors de portée pour la plupart d'entre nous.

Cela dit, il n'est pas nécessaire d'être riche pour commencer une cave. J'ai acheté mes premières bouteilles de garde alors que j'étais étudiante en musique et en théâtre. Il existe encore des quilles qui sont abordables et qui s'amélioreront avec le temps. Les blancs, comme les bulles et les rouges, peuvent se garder longtemps. Expliqué simplement, un vin a besoin d'une bonne teneur en acidité, d'une concentration en arômes et, dans le cas des vins rouges, d'une bonne teneur en phénols (principalement les tannins) pour bien vieillir. Il doit être élaboré à partir de cépages mûrs, et ses composantes doivent être en harmonie. Par exemple, un vin blanc qui présente un taux d'acidité très élevé mais qui est dilué en arômes n'est pas un bon candidat pour la cave. Le sucre joue aussi un rôle crucial dans le vieillissement. Plusieurs vins liquoreux, comme les sauternes et le tokaji aszú, ont un grand potentiel de garde.

Les techniques de vinification et les connaissances sur la viticulture n'ont jamais été aussi bonnes qu'aujourd'hui. Pour ces raisons, on peut trouver d'excellentes bouteilles à des prix abordables. À l'image du généreux Champlain Charest, qui a toujours bien voulu jouer les mentors avec les amateurs de vin, je vous propose ici quelques secrets bien gardés, qui se bonifieront avec le temps.

Pour d'autres suggestions qui vous permettront de constituer votre cave, visitez les pages de Magalie Lépine-Blondeau (baga), Marianne St-Gelais (vin de Constance et riesling d'Allemagne), Anne-Marie Cadieux (tokaji aszú et grüner veltliner), Christian Bégin (riesling et aglianico), Patrick Lagacé (bordeaux rouge), Alexandre Taillefer (barolo), Geneviève Guérard (chablis et chenin du Val de Loire), Anne Dorval (sémillon) et Denis Gagnon (syrah de la Côte-Rôtie).

Cabernet franc du Val de Loire

Vous savez, ces jeans que vous portez jour après jour malgré une garde-robe bien remplie? Pour moi, le cabernet franc du Val de Loire, c'est un peu ça. Comme Champlain Charest, je suis une amoureuse des vins qui débordent de fraîcheur. Le type de bouteille qui se vide sans qu'on s'en aperçoive vraiment tant son contenu descend facilement. L'opposé du vin qui est trop lourd et qui fatigue.

S'il se trouve souvent dans l'ombre du merlot et du cabernet sauvignon dans les assemblages — c'est entre autres le cas à Bordeaux —, le cabernet franc détient le premier rôle dans plusieurs appellations du Val de Loire. Muni d'un corps plus léger que le cabernet sauvignon et de tannins moins puissants, il renferme tout de même les gènes pour bien vieillir lorsqu'un bon millésime se pointe et que les raisins sont bien mûrs au moment des récoltes. Preuve à l'appui: les cuvées du grand Domaine Clos Rougeard constituent le zénith du cabernet franc, surtout après plusieurs années passées en cave.

Bien qu'elle soit dotée de multiples microclimats qui vacillent entre le continental et l'océanique, la région conserve un climat qu'on peut qualifier de frais. Chaque année, on espère que Dame Nature sera généreuse afin que les raisins arrivent à maturité avant les vendanges. Les cabernets francs du Val de Loire présentent une acidité qui va de moyenne à élevée. Le nez est expressif et les notes croquantes de framboise, de cerise, de violette et de prune rouge, combinées à de légères notes herbacées, donnent soif. Avec les années, la mine de crayon, le tabac mouillé et des notes minérales s'installent et ajoutent de la complexité au produit. S'il est entre bonnes mains, le vin dévoilera alors une grande élégance grâce à des tannins fins et soyeux.

LES BONNES ÉTIQUETTES

Thierry Germain
Yannick Amirault
Château de Villeneuve
Château Yvonne
Domaine Catherine
  et Pierre Breton
Domaine Guiberteau

Beaucoup de bouteilles de cabernet franc issues des appellations de Chinon, Bourgueil, Saint-Nicolas-de-Bourgueil, Saumur et Saumur-Champigny se vendent entre 20 et 30$ et offrent un excellent rapport qualité-prix. Si vous pouvez vous permettre de payer un peu plus pour les grandes cuvées des meilleurs domaines, vous découvrirez des vins qui ont toutes les qualités requises pour se bonifier avec le temps. Un investissement modeste qui en vaut le coût. Mais rappelez-vous: il faut choisir ceux qui proviennent de bons millésimes! Faites vos recherches et n'hésitez pas à poser des questions.

Bierzo

Champlain Charest avait du flair. Souvent, il savait acheter avant que les autres découvrent la cache du trésor. Certains vignerons font la même chose, soit en investissant dans des régions encore inconnues, soit en ramenant à la vie des coins de terre oubliés. Depuis les deux dernières décennies, la région de Bierzo, dans le nord-ouest de l'Espagne, connaît une effervescence. De grands noms comme Alvaro Palacios y sont venus pour faire renaître une région capable de produire des vins d'exception.

Prenant racine sur des terrasses situées entre 450 et 800 mètres d'altitude, le mencía s'épanouit sur des sols de schiste et d'ardoise. Dans ce climat continental tempéré par l'influence de l'Atlantique, le cépage rouge donne des vins qui évoquent parfois le cabernet franc. Personnellement, ses arômes me rappellent aussi la syrah de la vallée du Rhône septentrionale dans ses millésimes les plus chauds. Les vieilles vignes qui poussent en altitude sont capables de produire des vins complexes et concentrés, avec un potentiel de vieillissement. Le mencía dévoile des notes de prune rouge, de violette, de poivre blanc et de mine de crayon, ainsi qu'une touche herbacée. Sa colonne vertébrale vient soutenir ses courbes, qui sont fort séduisantes. Le mencía charme autant en jeunesse qu'après plusieurs années en cave — la qualité d'un bon compagnon.

LES BONNES ÉTIQUETTES

Dominio de Tares
Pittacum
Descendientes de J. Palacios
Raúl Pérez

Bandol rouge

Les rouges de l'appellation de Bandol, en Provence, sont de bons copains du collectionneur. Dans ce climat méditerranéen, sur les coteaux exposés au sud et protégés par les vents du Nord, le mourvèdre est en pleine béatitude. Accompagné en plus petites doses par ses amis fidèles que sont le grenache et le cinsault, il produit des vins charpentés présentant des tannins puissants ainsi que des notes de fruits noirs et de terre, sans oublier une touche qu'on qualifie souvent d'animale. Le soleil du sud s'exprime par un taux d'alcool généralement élevé. On peut les apprécier dans leur jeunesse, lorsqu'ils sont servis avec une pièce de viande rouge, mais à l'instar des adolescents, ils peuvent se révéler maladroits. Ainsi, ils dévoileront leurs plus grandes qualités après quelques années de vieillissement. Leur palette aromatique devient alors plus complexe, mais surtout, leurs composantes évoluent en symbiose. Les meilleurs bandols rouges peuvent facilement se garder de 20 à 30 ans. J'ai vécu de grandes expériences avec de vieilles bouteilles du Domaine Tempier. Pas mal pour des vins dont les prix débutent à 40 $!

LES BONNES ÉTIQUETTES

Domaine du Gros'Noré
Domaine Souviou
Château de Pibarnon
Domaine Tempier
 (importation privée:
 Œnopole)

ANNE-MARIE CHAGNON

Anne-Marie Chagnon

**CRÉATIVE   AUTHENTIQUE
GÉNÉREUSE   EXCENTRIQUE**

C'est lundi. Mais dans mon cœur, c'est vendredi. La fin d'une semaine amène un état d'âme qui excuse les après-midi de congé autour d'une coupe de vin en bonne compagnie. On permet à l'instant de s'arrêter. Anne-Marie me répète toujours qu'il faut respirer. Dans son atelier, alors que nous sommes assises au milieu de ses créations, nos éclats de rire en symphonie transcendent le temps. Quand je ferme les yeux, je les entends.

Anne-Marie Chagnon est connue du public comme joaillère. En plus de distribuer ses créations partout au Québec, elle exporte ses bijoux dans une quinzaine de pays, sur les cinq continents. Mais aujourd'hui, j'ai demandé à ce que nous prenions place à côté de ses tableaux. Le mot «artiste», elle l'incarne dans tout son corps. Ses peintures sont magnifiques. L'œuvre abstraite en noir et blanc que j'ai devant moi est l'expression de coups de pinceaux qui me rappelle une pieuvre et la Grèce. Je me suis inspirée de cette création pour traîner la bouteille d'assyrtiko d'Hatzidakis de l'île de Santorin que nous buvons aujourd'hui. D'entrée de jeu, je demande à mon amie si elle utilise la même méthode de création pour peindre et imaginer un bijou. «Étrangement, oui, répond-elle. J'ai toujours peint à plat; je n'ai jamais mis mon tableau sur un mur ou un chevalet. J'aime que la matière tombe sur la toile. J'aime la fluidité, j'aime mélanger ma peinture avec du liquide, donc si je mets ça sur le mur, ça coule.»

Cette forme d'art, Anne-Marie l'a choisie pour, en quelque sorte, s'évader dans un univers créatif qui l'apaise. «Il y a un aspect technique à la réalisation de bijoux, puisque ce sont plein de morceaux qui cohabitent. Dans ma démarche, je veux que mes bijoux soient portés, qu'ils ne soient pas trop lourds, pas trop gros; je veux que les morceaux s'assemblent. Je n'aime pas faire une pièce qui sert juste à une chose: il faut qu'elle serve à plein de choses dans la collection. Sinon, elle est perdue. Il y a quelque chose de précis, au bout du compte, et ça prend un an par collection. Tous les matériaux, le bois, le verre... les artisans les travaillent à Montréal. On a notre fonderie [pour l'étain] ici. Tout ça pour dire que j'ai eu besoin d'un exutoire, de quelque chose qui se réalise rapidement, qui ne s'échelonne pas sur huit ans... Quand je commence, c'est que j'ai envie maintenant de peinture; il n'y a pas d'étapes. J'ai de la couleur et ma toile, et voilà. Et si c'est pas bon, je mets ça de côté.»

La vie d'un artiste est remplie de cycles, de changements, d'évolutions. Si la peinture procure aujourd'hui un sentiment de «zénitude» à Anne-Marie, à une certaine époque, c'était un corps étranger avec lequel elle avait de la difficulté à cohabiter. «Les bijoux, ça fait longtemps que j'en fais. J'ai étudié en arts visuels. J'avais abordé la peinture à l'université et sincèrement, je n'avais pas aimé ça: ce n'était pas mon médium. C'était très important pour moi, quand j'étais à l'école, de dire des choses plus précises. Je n'arrivais pas à faire passer les messages à travers la peinture. J'ai fait un cours, puis je l'ai abandonné. J'étais plus dans la sculpture, la vidéo, les installations, la photo...»

Celui qui regarde attentivement et qui écoute activement peut comprendre la vulnérabilité d'un artiste. L'art permet d'extérioriser les sujets qui nous préoccupent. Un journal intime ouvert, au su de tous. «J'avais besoin de parler de la société et de mon rapport avec elle: l'attirance, la répulsion, le goût, le dégoût... J'étais vraiment dans le discours sur la beauté, la laideur. J'avais beaucoup à dire sur ça. Quand tu as 19 ou 20 ans, tu veux qu'on t'entende; tu veux révolutionner le monde; tu veux provoquer des prises de conscience. Il y en a qui gardent ça toute leur vie. Moi, ça a passé. Je le fais encore, mais de manière beaucoup plus tranquille. Je fais des bijoux qui sont catalogués, originaux, très différents, et pourtant je les trouve assez simples et faciles d'accès. Je continue cependant à dire des choses, à aborder les mêmes sujets. Quand tu regardes mes pièces, il n'y a rien qui soit poli, rien qui soit droit. C'est la matière dans son imperfection. Donc, je dis les mêmes choses, mais différemment. La perfection, c'est à l'intérieur, dans le regard qu'on porte. On n'est pas parfait, et je n'ai pas ce désir-là non plus. Il y a 20 ans, une journaliste avait écrit que mes bijoux étaient parfaitement imparfaits... et c'est ça. Moi, je les trouve beaux comme ça, dans toute leur imperfection.»

Sa fascination pour les concepts de perfection et d'imperfection, Anne-Marie la traîne depuis toujours: «Ça vient de ce que je suis, du corps que j'ai, de la vie que j'ai eue. J'ai eu beaucoup à réfléchir, très jeune, à la question de la beauté. Moi, je suis grosse. Quand tu es jeune et que tu es différent, on t'ostracise... J'ai beaucoup réfléchi à ce que ça voulait dire, être différent. C'est quoi, être beau? C'est quoi, être laid? C'est quoi, s'aimer? Tous ces sujets étaient dans ma tête quand j'avais 8 ans.»

Le talent d'Anne-Marie s'exprime au-delà des bijoux et de la peinture. Elle coupe ses propres cheveux, confectionne ses vêtements et donne des idées à profusion à tous ses amis qui ont un nouveau projet sur le feu. Anne-Marie dégage l'abondance. Je l'appelle la fontaine de création, et quand je la regarde, je me dis qu'il faut être libre dans tout son corps pour pouvoir être aussi fécond. «Il y a un livre qui m'a beaucoup inspirée: c'est *Catching the Big Fish*, de David Lynch. Il explique comment, à partir du moment où tu es ouvert, tu dois juste t'asseoir, puis les idées passent, et il te suffit alors d'attraper de gros poissons. C'est tout. Moi, c'est tout le temps ce que je ressens.»

Son atelier de l'avenue Casgrain, à Montréal— là où elle transforme de manière concrète les idées qu'elle pêche — est tout aussi inspirant qu'impressionnant. Employant 44 personnes et 12 représentants dans le monde, Anne-Marie est d'abord une femme d'affaires, serait-on tenté de croire. «Parfois, je pense à ma vie et je la trouve vraiment cool. C'est drôle, parce que les gens me disent souvent: tu dois être fière. Oui, je le suis, fière, parce que je suis toujours en train de créer! J'ai réussi à bâtir une équipe en fonction de ça, de la possibilité de créer.»

Le discours sur l'art oscille entre la forme et le sujet. Pour Anne-Marie, l'humain est sans contredit le sujet le plus inspirant. Elle examine le cerveau, les comportements et la manière de communiquer tant d'un point de vue philosophique que de ceux de la science et de la biologie. On discute d'altruisme et d'études sur la compassion, ainsi que des bienfaits de la méditation et du travail sur soi.

«L'humain me fascine; une conversation va m'inspirer. Parfois, il y a des trucs très physiques. Un lacet, par exemple, qui s'est entremêlé avec l'autre. J'enregistre ça dans ma tête, et c'est ça la forme que je veux dans le bijou. C'est juste un hasard. C'est d'être connecté sur ce qui se passe autour. Et de le traduire.»

La qualité de son art, de grands noms la célèbrent depuis longtemps. Et quand je l'écoute me raconter ses premières années de travail, je ne peux que me rappeler qu'il est essentiel d'avoir le courage de porter ses convictions. «J'avais exposé à l'occasion du mois de la photo, à Toronto, dans la boutique d'une amie qui fait des vêtements. Elle s'appelle Annie Thompson. On avait envoyé des cartes postales pour inviter les gens à l'exposition, et des clientes ont écrit à Annie [quand elles ont reçu l'invitation] pour lui dire qu'elles n'iraient plus jamais à sa boutique. Des commentaires hallucinants... Sur la photo, je portais un couvre-langue couvert de petites billes bleues*. On aurait dit des bleuets qui étaient collés sur la langue. C'est très *sweet* selon moi. Il y a eu une telle réaction que même Fox News est venu. J'ai été élue révélation du mois de la photo par le *Toronto Star*! Mais je n'ai pas vendu une seule œuvre, pas une seule photo.»

Anne-Marie rentre alors chez elle le cœur rempli d'émotions et le portefeuille vide. Mais deux ans plus tard, ce remous résulte en abondance. «J'étais chez moi, en train de me faire cuire des œufs. Le téléphone a sonné: "Oui, c'est Chantal du *merchandising* au Cirque du Soleil. J'ai vu votre exposition il y a deux ans à Toronto. Depuis ce temps, je me demande

---

* Dès l'université, Anne-Marie a ressenti le besoin de jouer avec les concepts de beauté et de laideur. Elle s'est alors fait connaître pour ses couvre-langues. On ne pouvait plus parler lorsqu'on les portait. Le résultat était à la fois beau et répugnant.

comment je pourrais travailler avec ces œuvres-là pour le Cirque, et je ne trouve rien. Mais nous avons un nouveau *show* à Las Vegas, *Zumanity*, et ça "fitte" tellement... Il faut qu'on ait ces objets-là pour le spectacle."»

Au moment de la rencontre, Anne-Marie enfile un collier de sa création. À cette époque-là (il y a environ 15 ans), elle a déjà quelques collections à son actif. La Chantal en question tombe éperdument amoureuse du collier, envoie Anne-Marie à Las Vegas et lui demande de créer une collection exclusive pour le Cirque du Soleil. «C'était la situation rêvée. Les *shows* du cirque se promènent dans le monde, et ça m'a fait connaître. Mais aussi, ça a permis une professionnalisation hyper rapide de l'entreprise. Pendant 10 ans, j'ai fait une collection par année! Ça a été une merveilleuse aventure qui m'a permis de découvrir tout un univers créatif.»

Des anecdotes dignes de celle du Cirque du Soleil, il y en a d'autres, dont celle d'Iris Apfel. Cette designer d'intérieur et icône de la mode sur qui un documentaire a été réalisé est entre autres connue pour le travail de décoration qu'elle a accompli à la Maison-Blanche sous neuf présidents. Apfel a découvert les créations d'Anne-Marie il y a environ six ans, lors d'une exposition, alors que cette femme hautement influente s'y trouvait en vue de conseiller l'acheteuse du musée. «C'était ma directrice des ventes qui était là, raconte Anne-Marie. Iris est arrivée au kiosque. Elle a dit à l'acheteuse: "Oh mon Dieu! C'est incroyable. Passe une commande." Quand elle est partie, la fille du musée a dit à ma directrice: "Je ne sais pas si vous savez qui vient de me recommander d'acheter vos bijoux... c'est Iris Apfel! C'est elle qui nous conseille pour savoir quoi mettre dans la boutique du Metropolitan Museum of Art, à New York."»

Les astres sont alignés depuis longtemps pour Anne-Marie. L'étudiante hippie qui payait ses études universitaires en vendant des bijoux, des vêtements et des tresses de couleur aux tam-tams du mont Royal, les dimanches — et qui se faisait arrêter pour grossière indécence parce qu'elle portait des robes transparentes sans sous-vêtements — est portée par une passion et des convictions. Elle a même eu l'audace de dire non à Jean-Paul Gaultier alors qu'elle était encore étudiante. Ce qu'elle me raconte me laisse bouche bée. «À l'université, quand j'ai fait les couvre-langues, ça a fait du mouvement. Le *piercing* n'existait même pas; il faut se remettre dans le contexte de l'époque. Il y avait une fille qui s'appelait aussi Anne-Marie et qui arrivait de Paris. Elle avait fait des bijoux pour Jean-Paul Gaultier pendant trois ans. Elle est arrivée, elle a vu les couvre-langues et elle m'a dit: "Il capoterait. Il faut que je l'appelle, que je lui parle de toi." Il a voulu me rencontrer... et là, j'ai *choké*. Parce qu'Anne-Marie m'avait dit: "Si tu vas là-bas, tu vas travailler avec Jean-Paul Gaultier. Tu vas faire des trucs pour lui. Oublie-toi!" J'étais jeune, j'avais peur. L'idée d'être le fantôme créatif de Jean-Paul Gaultier m'attirait moins, et je me demandais si j'allais être bien dans le monde de la mode. Maintenant, quand j'y repense, je me dis que c'était un peu niaiseux (rires). Le genre de chose pour laquelle tu te dis: j'ai vraiment fait ça dans la vie?»

Tout en blanc, parce que le rouge devient un corps étranger lorsque tu le bois.

Romorantin (Cour-Cheverny)

Ode à notre première rencontre, où nous avons passé de nombreuses heures près du feu de camp à savourer des blancs du Val de Loire.

Néanmoins, cette fois, ce n'est pas le chenin blanc ni le muscadet que je choisis pour assouvir ta soif, mais plutôt le romorantin. Bien qu'il n'y ait pas d'évidence historique à ce sujet, on croit que c'est François Ier qui a commandé des vignes en provenance de la Bourgogne en 1519 pour ensuite les planter dans la Loire. Le nom du cépage viendrait d'un village de l'époque appelé Romorantin, où le roi possédait une résidence.

Au fil des années, les vignes ont graduellement été remplacées par le sauvignon blanc, ce qui fait qu'il y subsiste aujourd'hui une minime quantité de pieds de romorantin dans la région. C'est sur les terres de l'appellation de Cour-Cheverny, dans l'est de la Touraine, qu'on trouve 48 hectares de ce cépage. Dans un climat continental à influence océanique, il produit des vins qui conjuguent rondeur et fraîcheur. Les plus grandes bouteilles se bonifient avec le temps. Avec les années, ses arômes de fleur blanche et de citron laissent place à des notes de miel et de cire. Tu apprécieras la minéralité qui est généralement au rendez-vous.

Si je dessinais une forme pour exprimer ce cépage, ce serait un rond avec une ligne droite à l'intérieur. Ça t'inspire pour un tableau ou un bijou?

LES BONNES ÉTIQUETTES

Henry Marionnet
Domaine des Huards
Benoit Daridan
Clos du Tue-Bœuf
  (importation privée: Rézin)

Jurançon sec

Située dans le sud-ouest de la France, sur des coteaux pentus faisant face à la chaîne des Pyrénées, la région de Jurançon est influencée à la fois par la rigueur montagnarde, la douceur de l'Atlantique et le foehn, un vent chaud qui vient du Sud. Le petit manseng et le gros manseng sont les deux cépages principaux qu'on trouve dans cette petite région. Le premier est préconisé pour ses vins doux, tandis que le second joue le rôle principal dans les blancs secs. Il est accompagné par des cépages accessoires, dont le camaralet de Lasseube, le courbu blanc, le petit courbu et le lauzet.

Muni d'une robe teintée d'or et de reflets verdâtres, le jurançon sec est un vin qui dégage beaucoup de caractère avec ses arômes de fruits exotiques (dont le fruit de la passion), de pêche et d'abricot, ainsi que sa touche de fleur de genêt et d'acacia. Sa légère amertume en fin de bouche est fort agréable et fait saliver.

Pour toi, Anne-Marie, qui aimes les blancs fruités et remplis de fraîcheur, voilà le partenaire parfait de plusieurs plats japonais — ta cuisine fétiche. Je pense à des pétoncles crus simplement préparés avec des échalotes françaises, de la mangue, de la coriandre, de la lime et du yuzu. Testé et approuvé.

LES BONNES ÉTIQUETTES

Domaine Cauhapé
Charles Hours
Château Jolys

Soave

Cette région bien connue de la Vénétie, qui est trop souvent synonyme de vins neutres et dilués, a laissé un souvenir peu mémorable auprès de nombreux consommateurs. Le résultat d'un phénomène qui a débuté à la fin des années 1960, époque où plusieurs producteurs ont quitté les meilleurs terroirs des coteaux pour planter des vignes sur les plaines fertiles. La quantité plutôt que la qualité est alors devenue la priorité.

Certes, ces vins de masse existent encore, mais de nombreuses maisons mettent l'excellence au premier plan et font des blancs qui sont capables d'émouvoir. Roi de Soave, le garganega rayonne sur les terres volcaniques. Lorsque le rendement des vignes est contrôlé et que celles-ci se trouvent sur les coteaux, il donne des vins où la rondeur est en parfaite symbiose avec les arômes de poire, de lys blanc et d'amande. Quant aux notes minérales, elles ajoutent une touche d'éclat. Le trebbiano di Soave et, à l'occasion, le chardonnay viennent accompagner le garganega en petites doses.

Pour découvrir le vrai potentiel de la région, concentre-toi sur les bonnes adresses qui produisent des vins issus des collines des appellations de Soave Classico DOC et Soave Superiore DOCG.

Chère Anne-Marie, voilà un délice avec les pâtes simplement préparées avec de la sauge et du beurre que tu aimes tant.

LES BONNES ÉTIQUETTES

Pieropan
Filippo Filippi
Inama
Prà

Anne Dorval

**PASSIONNÉE CULTIVÉE
GÉNÉREUSE SENSIBLE**

DIS-MOI QUI TU ES, JE TE DIRAI QUOI BOIRE

Écrire un livre, c'est un vertige constant entre l'exaltation et l'angoisse. Au début du marathon, on court un peu trop vite. Au milieu, on est épuisé, et lorsqu'on voit la ligne d'arrivée, on a un second souffle. Devant une bouteille de muscadet sur lie, je fais l'entrevue n° 15. Anne Dorval me donne l'élan dont j'avais besoin; un dixième souffle qui me porte bien au-delà de ma date de tombée.

Comme une évidence, ne pas commencer l'entrevue en abordant *Mommy* serait presque hypocrite. La poussière est retombée, mais la fièvre est restée. Si le Québec célèbre Xavier Dolan, la France l'idolâtre, le propulse. Anne, la muse, l'amie, la mentore, la confidente, vit l'engouement aux premières loges. Elle comprend bien l'enjeu. «Les Québécois l'ont vu, mais ça prend du temps, ici. Xavier aime beaucoup les mots, il s'exprime bien, et au Québec, on a encore de la difficulté [avec ça]. Ce n'est pas pour mépriser les gens de chez nous: je comprends, on vient de loin et on a été humiliés beaucoup, beaucoup — par les Anglais, qui avaient plus de culture et qui étaient des conquérants. Par les Français, aussi... On était des colonisés, et c'est long avant de se sortir de ça. Je pense qu'on a encore beaucoup de choses à apprendre. On a peur des intellectuels. Comme s'il y avait une grande distance entre eux et nous. Pourtant, ils ont tout à nous apprendre. On devrait être fiers et les laisser parler. Et on devrait être fiers des artistes qu'on a. En France, on aime les gens qui ont justement de la culture et du bagou. Xavier a un tel discours que chaque fois qu'il prend parole à Cannes, il soulève des passions; il donne espoir à toute cette génération qui, comme lui, veut faire les choses autrement. Ils rêvent d'un monde meilleur, se mobilisent pour défendre certaines idées... Pour parler de leurs craintes, de l'environnement: ce sont eux qui héritent de cette planète-là. Même ici, ça donne espoir à bien des jeunes artistes», explique Anne.

L'histoire grisante que vit l'actrice à ce moment de sa carrière m'inspire et me donne tout autant espoir. On dit souvent que c'est plus difficile pour une femme que pour un homme de vieillir. Surtout devant les caméras... Dolan, lui, célèbre les femmes de tous âges. Ce regard sur la beauté dans toute son essence, on l'a bien senti dans *Mommy*. La mère — Diane «Die» Després, jouée par Anne Dorval — est belle avec un grand B. L'actrice est d'ailleurs très reconnaissante des rôles que Dolan lui a confiés. Elle parle beaucoup de Xavier, et dans ses mots, on sent son amour inconditionnel pour lui. Et puis, cette aventure lui a ouvert des portes en France. «Quand je suis allée avec Xavier pour *J'ai tué ma mère*, ça avait eu l'effet d'une petite bombe pour Xavier, qui n'était pas connu du tout et qui était si jeune. J'avais eu quelques offres à l'époque, mais je n'avais pas d'agent là-bas. Puis, tout à coup, il s'est passé quelque chose avec *Mommy*. Ça a tout défoncé. Ça a été une telle affaire en France: je n'avais jamais vu une chose pareille», dit Anne. Se faire raconter l'histoire par quelqu'un qui l'a vécue, ça donne les larmes aux yeux.

Derrière le propre accomplissement d'Anne et le sentiment de fierté qu'elle a pour son grand ami, quelle leçon retire-t-elle d'une aventure aussi titanesque? «J'ai appris qu'il faut faire confiance à son instinct. Que ça ne sert à rien de travailler avec des gens sur la base de leur notoriété. Ça ne veut rien dire au bout du compte.

Oui, bien sûr... Mais ce que je veux dire, c'est que la notoriété n'est pas garante d'un succès. Sur *Mommy*, on était parfois là 18, 19 heures par jour. Il y avait un bon budget, mais encore là, on avait accepté de travailler à cachet moindre... Parce que c'est lui, qu'on sait qu'il a du talent et que tout le monde veut travailler avec lui. Même lui, il a tout réinvesti... J'étais là tout le temps, j'étais fatiguée, mais le résultat est là.»

Elle nous fait pleurer dans *Mommy* et rire aux larmes dans ses délires avec Marc Labrèche. Anne Dorval, c'est une grande: une actrice au registre de jeu exceptionnel. Son goût pour tout est toujours accompagné d'une fragilité et d'une sensibilité attachante, tant dans le drame que dans la comédie. «Je veux faire du classique, du contemporain; du théâtre français, américain, québécois... Je veux tout faire. J'aime aussi beaucoup les rôles de composition et le cinéma. Les acteurs de théâtre sont beaucoup plus polyvalents que ceux qui ne font que du cinéma. Parce que le théâtre, c'est une technique et c'est extrêmement exigeant. De refaire la même chose tous les soirs... Tu as le goût, tu n'as plus le goût, tu n'as plus de voix: il faut que ta voix se rende dans la dernière rangée pareil. Il faut être détendu pour occuper tout l'espace, comme au TNM [Théâtre du Nouveau Monde] et à l'Odéon. Tu as un monologue à faire, il faut que tu te projettes, mais tu dois avoir l'air naturelle. Tu

joues des alexandrins de 12 pieds, et il faut que ça ait l'air improvisé. Il faut pas qu'on sente les vers, mais il faut qu'on entende une certaine musique... mais que ce soit parlé. C'est un défi incroyable. Je m'ennuie beaucoup de ça. J'en fais moins parce qu'on ne peut pas gagner sa vie avec ça. Moi, j'avais de jeunes enfants: il a fallu que je fasse de la télé, et c'est ça qui fait que j'ai pu m'acheter une petite maison, leur offrir trois repas par jour et mettre de l'argent de côté pour les études. Pour moi, mettre le théâtre en veilleuse, ça a été dur, mais mes enfants ont toujours été ma priorité, donc la question ne s'est pas posée longtemps.»

Comme le dit si bien Anne Dorval, les artistes sont toujours des «pas pareils». Les arts sont souvent un refuge — des lieux qu'on explore par instinct de survie. Je le sais. Lorsque l'intimidation, la violence verbale et la jalousie des autres côtoyaient mon quotidien à l'école secondaire, la trompette était ma meilleure amie. «Quand tu es enfant, tu veux être pareil [aux autres]. Tu veux tellement faire partie d'une gang, être populaire. Le seul moment où j'étais populaire, c'est quand j'imitais mes profs et que je faisais des *shows* de théâtre. Là, tout à coup, j'étais *hot*! C'est le seul endroit où j'étais *hot*, totalement heureuse, et où j'oubliais tout. J'oubliais que je n'étais pas celle que je rêvais d'être. Mais sur scène, je n'étais plus moi: c'était une autre vie. Chaque fois, j'avais le droit de changer de vie.»

Il n'y a pas assez d'éloges, d'applaudissements ou de trophées pour chasser l'insécurité d'un artiste. Et c'est d'autant plus ironique que leur vocation les pousse à se mettre à nu: «Il y aura toujours une insécurité, qui vient de moi et de mes exigences. Tant qu'à évoluer dans ce métier, on veut devenir meilleur, comme toi... C'est comme dans n'importe quoi. J'ai aussi l'impression que mes goûts se raffinent et que mon exigence générale s'affirme de plus en plus. C'est sûr que c'est de plus en plus insécurisant. Tu te dis: accepte le projet, et arrange-toi pour y arriver. Tu ne peux pas garantir. Un chirurgien ne peut pas garantir qu'il va réussir son opération: ça dépend de toutes sortes de facteurs. Nous, c'est pareil... et c'est ça qui est lourd à porter.»

Les gens qui ont le souci de l'excellence sont toujours nerveux quand vient le temps de performer. Même une actrice accomplie comme Anne ressent parfois de l'agitation lorsque vient le temps de jouer, comme ce fut le cas le premier jour du tournage de *Mommy*. «Je n'avais jamais travaillé avec André Turpin, pour qui j'avais une grande admiration. Je me disais: il a tout fait... Qu'est-ce qu'il va penser de moi? Va-t-il me trouver mauvaise? Va-t-il penser que je joue dans ce film parce que je suis l'amie de Xavier? C'était un rôle de composition tellement loin de moi. C'était tellement clinquant que ça pouvait facilement tomber dans la caricature. Je l'aimais, mon costume. Mes jeans, mon macramé, mes bottes plateformes et mes cheveux... Moi, je le sais que je suis capable de jouer ça, sans que ce soit trop gros. Et je sais que Xavier le sait aussi. J'avais déjà cette confiance, mais on ne m'avait pas vue dans la lumière, dans l'image. Je me disais: va-t-il le regretter? Va-t-il être déçu, notre amitié va-t-elle tenir le coup? Ce matin-là, j'en tremblais. Je suis allée voir André — je n'avais plus de salive, ce n'est pas compliqué. J'ai dit: «André, est-ce que ça t'arrive d'être nerveux dans tes premières journées de tournage?» Il m'a répondu: «Ça fait trois jours que je ne dors pas. J'ai l'impression de ne jamais avoir fait de films de ma vie.» Je lui ai confié que j'avais l'impression que je n'avais pas de métier et que j'étais un imposteur. Que j'avais peur qu'ils se moquent de moi, qu'ils soient déçus. Le gars du son nous a entendus, puis il a dit: «Je vous écoute parler... Moi, ça fait deux semaines que je ne dors pas.» Tout le monde était nerveux. Et après la première *take*, on s'est tous calmés.

Xavier m'a montré certaines images: il criait comme un enfant, il était heureux. André est venu me voir, et ça a été une chimie. On a vécu des moments de grâce. Mais on était tous des *pee-wee*, la première journée; on était des sans-talent, on était des débutants.»

Les années de métier d'Anne sont précieuses pour les étudiants de l'École nationale de théâtre qui espèrent percer dans ce milieu. «Moi, quand j'enseigne, je leur dis tout le temps: regardez en avant et soyez plus exigeants que ce que l'on vous demande. C'est vous qui allez déterminer jusqu'où vous êtes capables d'aller. Il n'y a pas de petit rôle! Ne soyez pas démoniaques: ce n'est pas nécessaire de se flageller, mais c'est bien d'avoir des exigences démesurées, de rêver à des choses démesurées. Tout se peut.» Elle poursuit en me racontant un rituel. L'histoire cristallise mon coup de cœur pour cette femme. Dans le premier cours de la session, lorsqu'elle rencontre un nouveau groupe, elle leur sert du cava du producteur Parés Baltà (des bulles de l'Espagne) pour les détendre, ainsi que de petites bouchées. Est-il possible d'avoir un prof plus cool que ça? Je dois revisiter mes méthodes d'enseignement, parce que dans mes classes, mes élèves doivent cracher!

Discuter avec Anne, ça nourrit l'âme. Son regard sur la vie est riche, sa culture est vaste, et elle s'intéresse à l'art sous toutes ses formes. Avant le théâtre, il y a eu le cégep en arts plastiques. Chopin la fait rêver, mais le jazz la réconforte tout autant. L'architecture la passionne. Elle est follement amoureuse du travail de Mies van der Rohe. «Il y a toutes sortes de choses qui me touchent, mais j'ai une idole: Mies van der Rohe. J'aurais tellement aimé le rencontrer ou juste le suivre. J'aurais voulu être riche et me faire construire la Farnsworth House. C'est comme une maison de verre, blanche; c'est la maison de mes rêves. Et puis, j'ai découvert un peintre à la bibliothèque, dans une revue d'arts visuels, et il m'a obsédé.» Je verse un deuxième verre. Une pause s'impose. Elle me montre la toile de Daniel Enkaoua, une toile qu'elle a achetée. Pour son banquier, c'était une folie; pour elle, essentiel. «Oui, pour moi, ce n'est pas un luxe. Ça fait deux ans que j'ai cette toile, et je la regarde tous les matins. Il peint beaucoup de portraits, des natures mortes, des melons d'eau, des poireaux... et tu as envie de pleurer. Ces légumes deviennent humains. Tu as envie de les bercer. Je ne peux pas t'expliquer, j'ai jamais vu une chose pareille. Il peint ses enfants: la peinture que j'ai achetée, c'est son fils. Je n'ai jamais été aussi bouleversée... Oui par Matisse, par des grands maîtres, mais par un artiste contemporain...? Lui, il est vivant! Il est plus jeune que moi! Tu vas vouloir aller le rencontrer lors de ton prochain séjour à Barcelone», lance-t-elle avec passion.

Son explication de la beauté est sans doute la plus belle façon de dire pourquoi la culture est importante, voire vitale. Lorsqu'on est entouré de choses qui nous font sourire, on existe; on vit et on sourit à notre tour au prochain. L'effet domino, c'est puissant. «J'ai toujours rêvé d'aller au Japon, pour le raffinement, pour cette culture, pour les cerisiers en fleurs. Le Japon, c'est le raffinement extrême, la beauté. Il y a beaucoup de monde, mais c'est une culture millénaire de beauté, de connaissances... Ici, je trouve qu'on manque de beauté. Les gens ne voient pas l'importance de la beauté — comme de la culture en général. On a besoin de beauté pour s'élever, s'inspirer, continuer à vivre. Pour avoir espoir, on a besoin de fleurs, de parfums, de grands architectes, de bons vins, de bonnes tables, de jardiner, de bonnes terres, de nature, de parcs, d'air frais. On a besoin de ça. Sinon, il n'y a plus rien qui ne sert à rien. Pourquoi on vit s'il n'y a pas de beauté?»

Tu aimes les vins blancs secs soulignés par une minéralité qui donne soif. Voici des incontournables.

Sémillon de la vallée de Hunter

Pour celle qui aime être entourée de fleurs et de beauté, une visite au Jardin botanique de Sydney et un verre à l'Opéra s'imposent. En attendant que tu aies le courage de subir un vol interminable pour aller jusqu'en Australie, je te fais découvrir un des secrets encore trop bien gardés de ce pays.

Il se cache souvent dans des assemblages et derrière des noms d'appellations. C'est sans doute une des raisons pour lesquelles on connaît moins le sémillon. Ceux qui boivent du vin blanc de Bordeaux ou du sauternes l'ont déjà rencontré, où il est généralement accompagné du sauvignon blanc. Mais dans la vallée de Hunter, juste au nord de Sydney, le sémillon brille par lui-même. Les gens de la région l'adulent, mais peu connaissent encore la grandeur du cépage. Il demeure l'enfant incompris.

Dans ce climat chaud et humide, il produit des vins de grande qualité. Certains le vinifient dans des fûts de chêne, mais les meilleurs sémillons sont fermentés dans des contenants neutres, comme la cuve d'inox ou la cuve de béton. Léger et d'une délicatesse précise, le sémillon est doté d'une acidité élevée et de notes rafraîchissantes de zeste d'agrumes, de foin et de lanoline. Tu l'auras deviné: la minéralité est encore une fois au rendez-vous. Une vraie perle lorsqu'il est servi avec des huîtres et de la lime (et non du citron). Tu aimeras le fait que les sémillons de la vallée de Hunter sont souvent légers en alcool, soit autour de 11%. On se sent moins coupable d'en boire au brunch ou au dîner!

LES BONNES ÉTIQUETTES

Brokenwood
Mount Pleasant
Tyrell's Wines

Un autre secret bien gardé: les meilleures bouteilles de sémillon se bonifient avec le temps. On y perçoit des notes de miel, et les arômes de noisette grillée prononcés nous laissent croire que le vin a été élevé en fûts de chêne, même si ce n'est pas le cas. Il devient alors plus ample et plus riche. Comme plusieurs d'entre nous, il prend des courbes en vieillissant.

Sancerre blanc

Doté de multiples climats, sols et reliefs, ainsi que de nombreux cépages, le Val de Loire est la région viticole la plus diversifiée de France. Mais sa latitude nordique assure une constance dans tous les vins: la fraîcheur et la vivacité. La minéralité est souvent au rendez-vous, et la lourdeur ne fait pas partie du vocabulaire. Ils sont dans une catégorie que j'appelle «degré de buvabilité élevé». Tu découvriras ses muscadets sur lie en allant voir le profil de Monique Giroux (p. 172) et ses délicieux chenins blancs en visitant celui de Geneviève Guérard (p. 88). Mais une autre appellation qui risque de te plaire est celle de Sancerre.

Située à l'est du Val de Loire, cette région était déjà bien connue des bistros parisiens dès les années 1970. Sancerre produit une petite quantité de rouges et de rosés, mais sa réputation repose sur les blancs issus du sauvignon blanc. Muni d'un climat continental et d'une assise de sol calcaire, Sancerre atteint son apogée sur les parcelles qui ont une inclinaison et une exposition sud-est. Celles-ci favorisent le bon drainage et le mûrissement des raisins, ce qui est essentiel dans ce climat parfois précaire. Certains villages et lieux-dits, comme Chavignol et Les Monts Damnés, se distinguent particulièrement. Le terroir transcende le cépage. Les sauvignons blancs de la région sont moins exubérants que ceux de la Nouvelle-Zélande. Sans maquillage, les arômes juteux de pomme verte, d'agrumes et de groseille sont soutenus par des notes de pierre mouillée. Un choix parfait pour accompagner tes pâtes au citron, au poivre et au parmesan.

LES BONNES ÉTIQUETTES

François Cotat, Pascal Cotat et Didier Dagueneau pour les grandes occasions.

Alphonse Mellot, Domaine Vacheron, Le Chêne Marchand et Vincent Delaporte pour les autres jours.

Champagne blanc de blancs

Pour ceux qui aiment les bulles, le champagne est difficilement remplaçable. Les trois cépages principaux qui composent ces élixirs sont le pinot noir, le pinot meunier et le chardonnay. Le terme «blanc de blancs*» indique que les bulles reposent entièrement sur le chardonnay. Ce champagne atteint son apogée sur les sols crayeux de la région de la Côte des Blancs.

Pour moi, le blanc de blancs, c'est la définition même de la beauté. Sobre, discret, élevé en acidité et parfois austère dans sa jeunesse, ce vin dévoile une grande complexité avec le temps. Au fil des années, des notes émouvantes de brioche et de noix de Grenoble viennent s'ajouter aux arômes d'agrumes, de fleurs blanches et de fruits verts. On peut toujours compter sur sa ligne droite et précise et sur sa minéralité. La définition pure de l'élégance.

Chère Anne, quand tu retourneras au Dilettantes, ton caviste préféré à Paris, dans Saint-Germain-des-Prés, tu pourras leur demander là-bas qu'ils te recommandent un blanc de blancs. D'ici là, voici d'excellents noms qu'on trouve au Québec, et avec qui tu ne peux qu'être en bonne compagnie. À toi!

LES BONNES ÉTIQUETTES

Diebolt-Vallois
Henriot
Pierre Gimonnet & Fils
Agrapart
Larmandier-Bernier
Pascal Doquet
Jacques Lassaigne
Cédric Bouchard
  (importation privée:
  Les Vins Dame-Jeanne)

---

* Blanc de blancs: le terme est aussi utilisé dans d'autres régions. Dans ce cas, il sera constitué de cépages blancs permis dans l'appellation où les bulles sont produites.

FRED PELLERIN

Fred Pellerin

**AUTHENTIQUE RACONTEUR
ENRACINÉ LÉGENDAIRE**

Félix Leclerc, Gilles Vigneault... Ces monuments symbolisent la culture et la richesse de la langue québécoise. Ils font partie d'une époque qui a été marquée par ceux qui se sont battus pour faire vivre le Québec. Et au moment où l'on croyait que cette façon de communiquer la langue de chez nous était une espèce en voie de disparition, est arrivé Fred Pellerin.

Dans une bouquinerie du boulevard Saint-Laurent où l'odeur des livres empilés les uns sur les autres nous tient compagnie, le génie du conteur me laisse les mains moites. Il m'accueille avec un «vous», je le salue en lui donnant un verre de vin rouge. Cette idylle qu'on a tous avec Fred Pellerin m'amène d'entrée de jeu à le questionner sur sa mission. «Je m'en donne pas trop, parce qu'après, ça te met du poids sur les épaules et ça empêche peut-être de la fluidité dans le mouvement. Sauf que je travaille à donner dans la poésie, à donner dans le délire, à faire des brèches dans l'enveloppe du rêve pour qu'on puisse rentrer dedans de temps en temps. Pis après, c'est certain que tout mon parcours part de Saint-Élie-de-Caxton et y revient. C'est présent dans tous les choix que je fais. Dans tous les contrats que je signe, y'a des "clauses Caxton". Pour que les gens du village aient des priorités sur des achats de billets...», explique le conteur.

L'amour pour son coin de pays et l'ampleur de ses gestes sont inspirants. «Le village marche avec moi dans cette affaire-là. C'est peut-être le mot "mission" qui me fait hésiter, mais si je porte avec moi quelque chose, c'est d'appartenir à un village. De participer à une marche commune et un élan de groupe donne un sens énorme. Parce que tout à coup, tu te mets à marcher avec du monde. On se met à aller vers quelque chose ensemble. Et du monde qui marche ensemble, ça y va en *estie*! Quand tu l'additionnes, tu le multiplies. À Saint-Élie, on est 2 000 personnes à marcher ensemble vers un projet qui est celui de redorer ces légendes-là. Cette chose-là — qui est folklorique, supposément; qui est poussiéreuse et aliénante. Partir de ça pour faire de la poésie. Pour se donner un projet de village, un projet collectif. Pour faire naître une économie et des fiertés.»

La popularité de Fred est paradoxale. Dans un monde où les campagnes sont de plus en plus désertes, Pellerin prêche l'importance de l'appropriation de la terre. Un lien viscéral avec la patrie. «Moi, je pense qu'habiter le terroir — ce territoire-là qui, actuellement, se vide par l'attrait et le magnétisme urbain des villes—, c'est un devoir. On vide nos campagnes. Y'en a qui vont la posséder, cette terre-là, si on ne la possède pas. Moi, je suis tout le temps dans l'implication citoyenne. Je suis là à la semaine longue. Et si, un jour, j'avais à choisir entre arrêter le conte ou arrêter le village, ben j'arrêterais le conte. La chose contée n'est qu'un symptôme de ce virus-là.»

Le territoire, Fred Pellerin l'habite. C'est une relation romantique qu'il cultive avec sa terre. Il parle fièrement de son potager, de la taille de ses courgettes. Il bûche du bois et réussit à vendre un peu de «pitoune» par pur plaisir grâce aux gars de la paroisse, qui lui expliquent comment faire. *Le goût d'un pays*, long métrage réalisé par Francis Legault auquel il a collaboré avec Gilles Vigneault, vient naturellement sur le sujet. La tradition ancestrale du sirop d'érable est au cœur du documentaire. «Tsé, les sucres, si tu fais ça avec du bois... Si tu te mets devant un feu et que tu attends... Il faut que tu évapores 40 gallons pour faire un gallon de sirop. Donc, finalement, les sucres, c'est attendre. C'est attendre avec des gens, en parlant, en mangeant. Et dans l'attente, il y le travail sur soi. Il a quelque chose de méditatif là-dedans. Tu joues dans la boucane, tu es dans la vapeur... le feu. Y'a plein de trucs qui font appel quasiment au sacré. Le rituel du sucre», conte Fred.

Le besoin de se battre pour une cause vient de la peur que ce qui nous tient à cœur nous glisse entre les doigts. «Lorsqu'on a un micro, il y a une responsabilité qui vient avec, dit Fred Pellerin. Moi, je me mets des fois à fantasmer, dans mes moments secrets, à l'idée que ce qu'on a réussi à créer au village, à 2 000 personnes, se déploie et s'extrapole à 8 millions de personnes. Parce que ce qu'on vit, nous autres, à une petite échelle de 2 000 personnes, c'est dur à contenir sur le plan émotif, par bouts. Mais si cette chose-là pouvait servir et éventuellement être à l'échelle de l'humanité... Si on était 8 milliards à emboîter le pas sur une affaire belle et heureuse, poussant vers le haut et jouant dans la lumière... On dépasse tout après! Y'a pu rien qui peut jeter cette chose-là à terre!»

Cette sagesse, cette lucidité dont il fait preuve, elles ne sont pas le fruit de l'âge adulte. Elles étaient déjà présentes dans son adolescence. Les histoires et les boîtes secrètes de sa grand-mère étaient pour lui aussi intéressantes que les albums de Pink Floyd. Un modèle à suivre dans une société où on laisse trop souvent de côté les aînés. J'ai le cœur chaud lorsqu'il m'en parle. «C'était à l'époque du pétard. Je continuais à aller voir mémère. C'était aussi hallucinogène que le reste des affaires qu'on prenait. Pour moi, y'a jamais eu cette cassure-là. Même au moment de la microrévolte adolescente... On essaie de se définir en s'opposant contre des affaires. Je me suis opposé contre plein de choses. Mais ce rapport-là à la mémoire et à la passation n'a jamais été pour moi une opposition. J'avais pas besoin de casser ça. Au contraire: j'avais soif de ça.»

L'appétit d'apprendre les histoires de sa grand-mère s'est extrapolé. De guide touristique du village à grand conteur, Fred Pellerin porte le flambeau des personnages qui ont coloré son village. Ils sont attachants, ils vacillent dans la caricature. Les légendes sont nées à partir de récits que les gens du village lui ont confiés. «Y'a des zones délicates, là-dedans. Il y a des choses que je ne peux pas dire. Des secrets de village. Les gens dont je parle, c'est du vrai monde. Je vais voir leur fils, leur petit-fils, pour faire approuver mon matériel. Parce que quand je parle de Méo le barbier, de Toussaint Brodeur, je les beurre épais. Mais à la fin du spectacle, ils vont sauver l'humanité. Donc, les histoires qui pourraient être un peu honteuses ne le sont plus. Parce qu'elles sont poussées dans la poésie, dans la musique, dans le rire.»

Son succès, Fred Pellerin l'explique ainsi: «Je pense qu'il y a une honnêteté dans l'affaire. Parce que ce que j'ai fait, ça n'a jamais été *shooté* aux stéroïdes de production, de publicité. Je ne fais pas de pub. Ma face n'est jamais dans *Le Journal de Montréal* pour dire d'acheter des billets. On ne l'a jamais fait, ça. Et on ne le fera pas — même le jour où on ne vendra pas de billets. Je n'ai rien contre les gens qui font de la pub, mais moi, je ne veux pas en faire. Je ne veux jamais avoir l'impression que les gens sont dans la salle parce qu'on aura joué quelque chose dans leur tête. Ils sont là pour entendre des histoires. C'est déjà en masse! Je pense aussi qu'on a tous soif de se faire raconter des histoires, depuis les grottes de Lascaux, quand on se racontait la chasse au mammouth. Moi, c'est la version la plus dépouillée au niveau du racontage d'histoire qu'on peut

offrir. Après, je pense qu'on est tous porteurs d'un Caxton, de ces personnages-là. Ça finit par être du monde qu'on reconnaît. Qui sont héros d'un conte qu'on a déjà entendu.»

On entame le deuxième verre de vin; l'entrevue tourne à la simple discussion. J'ai une théorie, moi, sur la cause de son succès, et il veut la connaître. À mon tour de parler. «Dans un monde où la technologie prend le dessus et où les voyages nous emportent, les racines parlent encore plus fort. J'ai beaucoup réfléchi à la notion du terroir. Pour moi, Fred Pellerin, c'est du terroir. Dans un monde où les artifices sont trop présents, il y a un besoin de retourner à l'essentiel. Et je pense que d'avoir un Fred Pellerin qui raconte des histoires, ça nous rappelle ça. Nous sommes malades, et c'est comme si tu nous donnais une dose de médecine naturelle. Pour exprimer un terroir, il faut être authentique, être soi. Je pense qu'aujourd'hui, les gens feuillettent un magazine pour trouver à quoi ressembler. Quand on voit quelqu'un qui est authentique, qui a le courage d'être lui-même, ça nous touche. C'est ça qui résonne, je pense.»

Il poursuit la discussion sur l'importance d'un chauvinisme sain, qui participe à la définition d'un terroir. «En France, chaque village est chauvin et dénigre le voisin. Quand tu voyages en France, dans chaque village, tu as le meilleur tout. La beauté de cette affaire-là, c'est que si tu te mets à prétendre faire le meilleur vin, le meilleur fromage, ben il faut qu'il soit bon, ton vin, pour qu'il soit typé, pour qu'il soit meilleur que l'autre. Ça fait que là, tu enrichis cette chose-là du terroir.»

Sa typicité, Fred Pellerin l'a déclinée dans plusieurs univers. Il est particulièrement fier des projets qu'il a créés avec l'Orchestre symphonique de Montréal depuis 2011. «Ce sont deux affaires qui ne devraient pas se mélanger naturellement... Un steak et des fraises dans un *blender*, ce n'était pas supposé donner un *drink* trippant. Mais on a trouvé une façon d'écrire ça, en me laissant toute la liberté et l'improvisation dans un cadre qui est tellement rigide et carré. Tu changes pas des notes dans Strababovski! On a réussi à faire une bête à deux têtes. On est allés loin.»

Et il y a Céline. Ceux qui ont vu et écouté l'interprétation du duo *Mille après mille* par ce duo improbable comprennent la beauté de cette union. Pellerin a refusé longtemps de collaborer avec la chanteuse. Il a finalement dû expliquer son refus à René Angélil. «Je peux pas faire des chorégraphies avec des choristes qui gigotent en arrière de moi. Je peux pas faire ça.» Ce fut donc Pellerin, sa mandoline et la diva. «De beaux moments», explique Fred, qui ont donné lieu à d'autres rencontres, dont l'hymne de *La guerre des tuques 3D*.

Si ces aventures — qui ont rempli des salles et noirci des pages de bonnes critiques — le rendent heureux, la chance de côtoyer Gilles Vigneault sur plusieurs projets le touche particulièrement. «Pour moi, c'est un très grand modèle. C'est un patriarche. Il y a presque un siècle dans le bonhomme. Avec une mémoire au laser! Il se rappelle tout. Et il s'indigne encore. Pis ça, c'est beau», confie l'artiste avec émotion. Et, dans 40 ans, quelqu'un dira sans doute la même chose de Fred Pellerin.

À mon tour de te faire découvrir des personnages. Voici trois vignerons qui sont des sommités dans le monde viticole et qui viennent de trois pays d'Europe que tu affectionnes particulièrement. Si tu leur rends visite, ils pourront à leur tour te raconter des histoires sur des gens qui ont marqué leur coin de pays. Qui sait, peut-être deviendront-ils des légendes?

Alberto Antonini

Élu l'un des cinq meilleurs consultants en vin dans le monde par les prestigieux magazines *The Drinks Business* et *Decanter*, Alberto Antonini est un grand. Il offre son expertise à de nombreux domaines viticoles dans plusieurs pays, dont le Canada, le Chili, l'Argentine, l'Uruguay, l'Australie et l'Arménie.

Pourquoi lui? Parce que j'ai eu la chance de côtoyer Alberto au fil des années. Ce que j'admire le plus chez lui, c'est sa méthode de travail. Il préconise la typicité et incite les gens à retourner à des cépages indigènes et à des techniques de vinification locales en vue de produire des vins authentiques, de terroir. Il m'a raconté de nombreuses histoires sur ses périples. Celles au sujet de méthodes anciennes (comme la vinification en amphore) et de l'univers des cépages moins connus de l'Arménie me captivent.

Quand Alberto n'est pas sur la route, on peut le trouver à son domaine familial, Poggiotondo, qui est situé dans la région de Chianti, en Toscane, à 13 kilomètres d'Arezzo. La musique de Miles Davis risque de t'accueillir lors de ta visite. Grand passionné de jazz, il a une discothèque comprenant plus de 10 000 vinyles. Et son huile d'olive est excellente! Un petit clin d'œil à ton dernier voyage en Toscane, où le plus beau souvenir de toute ta famille est d'avoir aidé les propriétaires d'une ferme à presser des olives. Quelque chose me dit que toi et lui feriez bon ménage...

LES BONNES ÉTIQUETTES

Altos Las Hormigas (Argentine)

Poggiotondo (Italie; importation privée: La Céleste Levure)

Telmo Rodriguez

Certains l'ont surnommé «l'enfant terrible», d'autres «le rebelle». Les gens qui veulent changer les choses dérangent toujours — souvent pour le mieux. Telmo Rodriguez mène de front plusieurs projets. Celui du domaine familial situé à Labastida, dans la région de Rioja Alavesa, en Espagne, porte le nom de Remelluri. Les origines de la ferme Remelluri sont incertaines, mais très anciennes. Les moines, les Wigisoths, les Maures et les Romains ont tous habité le terroir. Plusieurs croient que c'est ici qu'ont été faits les premiers vins de la région de Rioja. Le père de Telmo a acheté 20 hectares en 1967. Telmo et sa famille continuent de faire vivre ce site historique. Labastida jouit d'un microclimat unique, où l'altitude et des sols à prédominance calcaire confèrent aux vins une élégance à la hauteur de la réputation de Remelluri. Bref, un site historique qui pourrait inspirer un conteur pour une vie!

Si la tradition à Rioja est de produire des vins issus d'un assemblage des trois sous-régions (Rioja Alta, Rioja Alavesa et Rioja Baja), Telmo insiste sur l'importante d'identifier les plus grands terroirs, de les mettre en avant, de les faire connaître. Le concept semble logique, mais étrangement, il dérange. C'est cette même philosophie qui a poussé Telmo à faire renaître plusieurs vignobles dans des régions viticoles de l'Espagne où les vignes avaient été abandonnées. Avec son partenaire, Pablo, il élabore des vins sous différentes appellations, qu'il vend en y apposant l'étiquette Telmo Rodriguez. Je me souviens qu'il m'a un jour raconté qu'à Cebreros, dans un petit village où il fait du vin, les gens se promènent à dos d'âne. Telmo travaille fort pour que des vins typés et authentiques puissent exister.

Gérard Gauby

Il y a des gens qui marquent plus que d'autres. C'est le voisin d'à côté qui m'avait accueilli lors de ma visite chez Gauby. Il transportait un cochon fraîchement abattu pour le méchoui du lendemain soir. Gérard, lui, avait salué mon oncle en le serrant avec sa main gauche. Son bras droit était enrobé d'argile. Il avait une douleur et il se soignait à l'ancienne. Entouré de terres sauvages dans le petit village de Calce, dans le Roussillon, le domaine de Gérard vibre comme autant de lieux sacrés. Dans sa cave, le vigneron sert ses vins imprégnés d'un soleil méditerranéen dans les magnifiques et délicats verres Zalto. Ses cuvées impressionnent autant les unes que les autres. Ses vins sont vivants, remplis d'énergie.

Les vignes de Gérard fleurissent sans présence d'herbicides ou de pesticides. Il privilégie la culture bio et utilise plusieurs préparations à bases de plantes, qu'il concocte chez lui. Gardant la même philosophie, les vins sont faits de la manière la plus naturelle possible. Ainsi, on ne dénote aucun ajout d'enzymes ni aucun processus d'acidification, de chaptalisation, de collage ou de filtration, et que des levures indigènes. Le résultat? Des vins authentiques et typés.

Pour toi qui aimes particulièrement les vins rouges charpentés. Les cépages typiques du sud de la France sont au rendez-vous: syrah, mourvèdre, carignan et grenache.

Monique Giroux

**CHALEUREUSE   PARISIENNE DANS L'ÂME
GÉNÉREUSE   COMBATTANTE**

DIS-MOI QUI TU ES, JE TE DIRAI QUOI BOIRE

Les chaises sont à l'envers sur la table en bois. L'odeur subtile de ce qui reste des rendez-vous d'hier et la chaleur qu'amène la présence du piano invitent à l'apéro. On est au joli salon de thé Cardinal, dans le Mile End, à Montréal. En guise de salutations, la mythique animatrice me gratifie d'un grand sourire. «Quelle belle affaire! La vie est belle. J'ai pris mon après-midi de congé», m'annonce-t-elle en me faisant la bise. C'est l'heure du chablis!

Lorsque je fais des entrevues pour ce livre, j'offre toujours un verre à mes interlocuteurs. Certains y trempent à peine les lèvres, contrôle absolu du discours oblige. D'autres, comme Monique, acceptent un deuxième verre avec joie. Et puisque le bon vin génère toujours d'intéressantes discussions lorsqu'il est consommé sainement, quelques verres et trois heures plus tard, j'en ai pour 20 pages pleines de notes d'entrevue. En voici les perles (j'en ai gardé un peu pour moi).

Parler, écrire et chanter en français: cela est parfois considéré comme une forme — la plus romantique qui soit — de combat. Derrière son micro, Monique défend aussi cette cause. «Avec le recul, j'ai constaté que je ne me battais pas. Que le simple fait de vivre, de m'affirmer, d'avoir confiance en moi avec un grand M était en soi une sorte de combat, mais bien relatif. J'existe. Et puis, c'est plus une mission qu'un combat... Une jolie bataille: celle de ma propre survie», dit-elle avec conviction.

Les liens que tisse Monique Giroux avec la chanson francophone remontent à très loin. Enfant, les contes ne faisaient pas partie de son quotidien. Comme elle est fille unique, elle était souvent la seule gamine au milieu des adultes. L'écoute des chansons et des conversations des grands était pour elle beaucoup plus intéressante que les propos de ses camarades de classe. «Ma mère écoutait beaucoup CKAC, CJBL et CJMS. Et ma grand-mère, qui a vécu avec nous jusqu'à ce que j'aie 5 ans, écoutait Radio-Canada. Donc, j'ai grandi en écoutant la radio parlée et la chanson. Les poupées ne m'intéressaient pas: je préférais collectionner les 45 tours. J'écoutais le texte, déjà. Et puis on ne me lisait jamais d'histoires le soir. Mon père me chantait toujours la même chanson. Les chansons me racontaient des histoires, et j'étais fascinée. Je chantais *Une femme avec toi*, de Nicole Croisille, à 8 ans! Ma mère se demandait: "Pourquoi elle n'écoute pas *Bobino*?"» J'ai toujours pensé que les enfants uniques vieillissent trop vite.

Rassembleuse, mais extrêmement timide, petite Monique avait une personnalité qui n'annonçait pas celle de la grande. Jeune, elle se déclarait malade au moment des exposés oraux à l'école. «Si je me suis retrouvée à l'antenne, c'est beaucoup grâce à Myra Cree. Elle a été ma mentore et la femme la plus importante de ma vie. C'était une star à Oka, où on habitait. C'était une journaliste sérieuse qui avait des airs d'Anouk Aimée, avec ses lunettes fumées, sa cigarette et son manteau de vison. Elle vivait avec une femme, librement et très fièrement. Tout cela était bien intrigant.»

Monique est entrée dans la vie de Myra par pur hasard, en se liant d'amitié avec le neveu de l'amoureuse de Myra. «Je jouais à la pétanque avec mes parents. Je devais avoir 7 ou 8 ans, et un petit garçon s'est arrêté pour voir ce qui se passait. Il est devenu mon partenaire de pétanque, et on a été les deux meilleurs amis du monde pendant plusieurs années. Ça a changé ma vie, littéralement. Imagine s'il ne s'était pas arrêté, ce jour-là...»

Myra n'est que le début d'une série de rencontres clés dans le trajet de Monique. «Myra était venue nous voir jouer à la pétanque. Il fallait que je sois *top*. Je voulais qu'elle m'aime et être à la hauteur de cette dame-là, tu comprends? Je ne savais pas ce que j'allais faire de ma vie du haut de mon secondaire 5! Je ne me destinais à rien du tout. Je ne perds jamais, jamais ça de vue. Cette chance que j'ai eue, les gens que j'ai croisés, c'est le hasard.

Après, ça a été [Louise] Forestier, Fabienne Thibeault, Huguette Oligny, Gratien Gélinas, Gilles Vigneault, Claude Léveillée, Félix [Leclerc]... Des gens qui étaient un peu plus grands que nature. Étonnants, détonnants — des artistes, quoi! Des créateurs, des gens colorés, des expansifs. Alors que moi, je n'étais pas du tout comme ça et je ne voulais pas ça. Je voulais juste les approcher, les aimer. Je les comprenais déjà.»

Elle parle de coïncidences; j'évoque le destin. On prend une gorgée. Je lui dis qu'en préparant mon entrevue avec elle, j'avais noté, en marge de mes questions, les mots «psychologue des musiciens». «J'ai voulu faire ce métier-là parce que je trouvais les artistes fascinants. À la fois par leur force et leur fragilité, et leur capacité d'abattre les cloisons, de faire des révolutions. En fait, j'ai hésité longtemps entre être psychologue et avocate. Avocate, c'était un peu lourd. Psy, je trouvais ça intéressant. L'âme humaine... J'aime le monde et je suis fascinée. Je suis très contemplative; j'observe énormément. Je fais des associations quand je regarde des gens. Je comprends des styles de gens, je prévois comment ils vont réagir. Et donc, finalement — et je l'ai réalisé il n'y a pas tellement d'années —, je fais les deux.»

Il y a une intimité à la radio qui permet d'être plus près de l'interlocuteur qu'à la télé. L'agilité de Monique accentue cette proximité. Elle sait où attendre, elle utilise habilement les silences et elle arrive à faire briller tout le monde... même les personnalités les moins aimables.

C'est en partie la raison pour laquelle le métier de journaliste ne l'intéresse pas. Elle veut aimer et non pas critiquer. Qu'est-ce qui la touche chez les artistes? «Leur fragilité, je crois. L'écart entre leur pouvoir, leur talent, leur force et leur fragilité. Leur insécurité... leur sensibilité», explique-t-elle avec tendresse. Et parce qu'elle aime réellement, Monique

instaure la confiance et abat les frontières. «Il faut en dire assez aux auditeurs sans trahir les artistes. Et c'est ça, le fil de mon boulot. Nana Mouskouri, un jour, s'est mise à pleurer lors d'une entrevue qu'elle m'avait accordée. Elle avait dû en faire quelques millions dans sa vie, des entrevues. Elle m'a dit que c'était la première fois qu'elle pleurait. J'avais des questions, je connaissais sa musique, mais je n'avais pas analysé toute la direction de l'entrevue. Je lui avais dit: raconte-moi ta vie, quoi! Et je lui posais de vraies questions. Je savais que c'était sa sœur qui devait être chanteuse. Elle était allée en audition avec elle pour lui donner la réplique d'un air d'opéra, et sa sœur n'avait pas été prise. C'est Nana qui avait été choisie! Je lui avais donc demandé quelle était la relation avec sa sœur. C'est là quelle s'est mise à pleurer. En sortant, elle m'a prise dans ses bras et elle m'a dit il qu'il fallait qu'elle me présente sa fille.»

Des histoires comme celle-là, il y en a eu beaucoup d'autres. Se faire raconter Aznavour, Birkin et tous les autres, c'est un peu surréaliste. Monique affirme cependant que de toutes ses rencontres, c'est l'entrevue avec Juliette Gréco qui l'a le plus bouleversée. Et aujourd'hui, l'animatrice peut compter sur l'amitié de celle qu'elle idolâtrait: «Quelle femme fantastique. Je l'aime! Sa liberté, sa disponibilité, son amour de l'autre... Aragon disait que la politique, c'était de l'amour. *Poli* = les autres, tous, plusieurs. Et Juliette Gréco a cette hauteur et cet amour avec un grand A; cette ouverture et cette disponibilité pour les autres.

Une attention particulière à l'humain. C'est un être rare. Et Jane Birkin a les mêmes qualités. Ce sont des mythes, des légendes vivantes, et elles le savent forcément. L'une a 90 ans et l'autre en a 70. Donc, ça fait quand même, dans les deux cas, 70 ans et 50 ans qu'on le leur répète. Elles ne sont pas complètement idiotes! Mais elles n'ont jamais perdu de vue qu'elles étaient d'abord humaines et qu'elles ne valaient pas plus que le passant. Aznavour, c'est pareil. Il restera toujours un être extraordinaire. C'est un très, très grand privilège de l'avoir côtoyé personnellement. Il est assez terre à terre. Gréco et Jane sont plus existentielles, plus philosophes...» Et elle continue... Le temps est suspendu.

Lorsqu'on lui demande si elle mesure la portée de son travail, Monique répond, lumineuse, par une autre histoire: «Un jour, il y a longtemps, j'ai reçu une boîte de cassettes: des enregistrements de mes émissions. Un homme m'enregistrait systématiquement et, avec deux *tapes* à cassettes, il prenait les chansons qu'il aimait et il se refaisait des *mix*. Ce sont les parents du gars qui m'ont envoyé la boîte. Dans leur lettre, ils expliquaient que leur fils était mort du sida et que je l'avais accompagné les deux dernières années de sa vie.»

Prendre l'apéro avec toi, chère Monique, c'est une bien belle façon de partir en voyage. Dans ton dernier livre, *Le Paris de Monique Giroux*, tu cites Sacha Guitry: «Être Parisien, ce n'est pas être né à Paris, c'est y renaître.» Continue d'y aller souvent... mais n'oublie pas de nous revenir.

Comme une évidence, la France est au cœur de chaque bouteille.

Pastis

Un petit clin d'œil au premier flacon d'alcool que tu as consommé pour accompagner ta première cigarette à 12 ans (une Gitane).

Le Ricard et le Pernod sont tes compagnons fidèles durant la saison estivale. À toi qui aimes les bonnes choses, je propose un complice plus raffiné et élégant. Produit dans les Alpes-de-Haute-Provence, le pastis Henri Bardouin possède une trame aromatique complexe et tout en fraîcheur. Plus de 65 plantes et épices sont utilisées pour sa conception. Un naturel pour celle qui est si passionnée par les parfums. Des notes discrètes de citron, de gingembre, de menthe, de clou de girofle et de garrigue valsent derrière la saveur de l'anis étoilé. Son léger côté salin donne soif. N'oublie pas ton pichet d'eau...

LA BONNE ÉTIQUETTE

Henri Bardouin

Bandol rosé

Un toast à tous tes beaux moments passés à Saint-Cyr-sur-Mer, à jouer jusqu'aux petites heures du matin sur le terrain de pétanque de ton défunt ami Henri Salvador.

L'appellation la plus prestigieuse de Provence, Bandol, peut se trouver en trois couleurs. Pour toi qui es amoureuse des rosés, voilà une région qui propose une version un peu plus charnue que les produits des appellations voisines de la Provence. Généralement composés en majorité de grenache et de cinsault, les Bandol ont des notes d'agrumes et de fruits rouges croquants, auxquelles vient s'ajouter une touche agréable de garrigue en fin de bouche. Un partenaire de choix pour la bouillabaisse et la salade niçoise, mais surtout pour les fleurs de courgettes que tu manges sans fin.

LES BONNES ÉTIQUETTES

Domaine Tempier
Domaine du Gros'Noré
Domaine de Souviou
Château de Pibarnon
Dupéré Barrera

Muscadet Sèvre et Maine

Du champagne et des huîtres... Parmi les trésors de la table qui te font le plus plaisir. Comme toi, j'ai à maintes reprises eu de la difficulté à trouver une belle sélection de bulles au verre. En cas de panique, le muscadet Sèvre et Maine est souvent une option à privilégier, surtout dans les bistros parisiens.

Si l'appellation a la réputation de produire des vins neutres qui se rapprochent plus de l'eau que du vin, les bonnes maisons montrent la région sous un autre jour. Les terres composées d'argile, de schiste et de granite offrent le potentiel aux vignerons de talent de produire des vins qui sont dotés d'une acidité tranchante, mais surtout de notes salines et de pierre mouillée qui perdurent en bouche. Des vins légers, avec des notes délicates d'agrumes et de pomme verte, qui se boivent beaucoup trop facilement. Tu risques d'en commander une bouteille... et peut-être une deuxième!

LES BONNES ÉTIQUETTES

Domaine de l'Ecu
Eric Chevalier
Domaines Landron
Domaine La Haute Févrie
Château de la Ragotière

FRANCE BEAUDOIN

France Beaudoin

REBELLE   SANS COMPROMIS
DÉTERMINÉE   CRÉATIVE

À partir du moment où Internet a commencé à faire partie de mon quotidien, mes nuits d'insomnie ont été employées à analyser l'art de l'entrevue. Je regardais 20/20 à répétition: Barbara Walters était mon idole. Je m'attardais aussi aux émissions québécoises, parce qu'elles me permettaient de respirer l'air de ma terre natale pendant mon exil en Colombie-Britannique. Vêtue de noir et arborant un sourire éclatant, France Beaudoin m'avait alors paru mielleuse à première vue, ce qui est loin d'être la qualité première pour aller au vif d'un sujet. Mais à la barre de *Bons baisers de France* (qui prenait à l'époque tout juste son envol), l'animatrice disait qu'elle n'aurait jamais peur de tout quitter pour repartir avec son sac à dos en vue de parcourir le monde. Sourire ne signifie pas qu'on manque d'audace.

Assise à la magnifique terrasse du restaurant Les Fillettes, à Montréal, France laisse le maquilleur terminer son travail. Elle respire le calme, et la conversation est facile. Je partage avec elle la perception que j'avais eue, jadis. «Les gens qui sont près de moi me disent que je suis l'une des personnes les plus rebelles qu'ils connaissent. Pourtant, l'image qu'on a de moi, ce n'est pas ça. Quand je fais une entrevue, je pose toutes mes questions. Je te dirais même que ça surprend parfois les gens autour, parce que je suis très franche.» Une question qui frappe, enveloppée de douceur, ça déstabilise. Et c'est peut-être ça, l'arme la plus efficace… «Durant les dernières années de *Bons baisers de France*, il y a des gens qui disaient que des politiciens ne venaient plus de peur de se faire poser trop de questions… Pourtant, je ne fais pas d'entrevues à coups de poing. Je prépare le ton, la façon de demander… Je ne voudrais jamais que ce soit ma question qui vole le *show*. Ce n'est pas ça, ma *job*.»

L'audace de France va bien au-delà de ses questions directes. Elle a laissé de nombreuses fois des postes qui offraient une sécurité pour sauter à pieds joints dans une nouvelle aventure. Quitter un diffuseur en vue d'aller travailler pour son compétiteur lorsqu'on pratique un métier aussi incertain, ça prend du cran. «*Deux filles le matin*... Je pensais que j'avais fait le tour du jardin, et c'est la même chose avec *Bons baisers de France*. Pourquoi? Chaque fois, ce sont des sauts en parachute. C'est à la fois valorisant, satisfaisant, sécurisant et payant. Mais je suis comme un cheval sauvage. J'ai appris à rester un peu plus et à me demander si c'est parce que j'ai peur qu'on se "tanne" de moi que je m'en vais. J'ai essayé d'analyser tout ça. Tous les matins, avant de partir, je regarde les maisons à vendre — et pas juste à Montréal. Les premières années, mon *chum* capotait: "On va pas partir encore?" Tout le monde dans la maison m'observait pendant que je regardais les annonces... Moi, j'étais prête à déménager n'importe quand. Je disais aux enfants: "On part ensemble. Il ne peut rien nous arriver."»

«Quand tout le monde tourne la tête à gauche, il faut regarder à droite.» Voilà le leitmotiv de France. «Je suis toujours un peu en dehors du cadre. Ça me motive, mais parfois, je me raisonne. J'ai des enfants... Puis, je pense: est-ce qu'il faudrait que je devienne plus conservatrice? Mais c'est plus fort que moi: tu ne peux pas m'attacher. Je refuse de croire que je ne peux pas aller d'un réseau à l'autre ou que je ne peux pas faire quelque chose parce que ça a toujours été fait comme ça.»

France est revendicatrice à sa façon et elle n'a pas froid aux yeux. C'est entre autres pour cette raison qu'elle a fondé Pamplemousse Média, une boîte de production qui lui permet de donner naissance à plusieurs émissions. «Je produis parce que je veux décider de mettre plus d'argent sur le violoncelliste supplémentaire que dans le décor. C'est d'être rebelle dans l'action. Oui, il faut chialer et s'indigner... Mais chialer pour chialer et avoir l'air *tough*, pour moi, ça ne donne rien. Tu es ce que tu fais; tu es l'action que tu enclenches. Je considère que je suis ambitieuse. L'ambition, ce n'est pas beau, et pour une femme, c'est encore plus laid. Mais je pense que tu peux en avoir, de l'ambition, sans piler sur les pieds de personne.»

Sa vision des choses, France la doit à sa famille. La voyageuse reprend l'idée du sac à dos pour s'expliquer: «D'aussi loin que je me souvienne, mes parents m'ont laissée libre de partir, de voyager. Aujourd'hui, je valorise beaucoup le travail, parce que ça me donne des choix. Ça donne des possibilités pour ma famille... J'ai besoin de savoir que je peux partir n'importe quand. J'ai besoin de cette liberté. Elle est dans tout.»

Cette philosophie qui lui a été inculquée jeune, elle la lègue à son entourage. «Mon *chum* ne peut pas vivre avec quelqu'un qui dit oui à tout, et moi non plus. On a des enfants qui s'expriment librement. On a une ligne directrice, mais quand je ne suis pas d'accord avec lui, ou lui avec moi, on le dit aux enfants. On leur dit aussi que quand ils seront plus vieux, ils pourront se faire leur propre idée. Il y a toujours du respect dans la façon de dire et de faire les choses; c'est important pour moi.» Ce regard, c'est aussi l'une des clés de son succès en affaires. «J'engage des gens qui ont des expertises plus fortes que moi. Je crois au fait de donner de l'autonomie aux gens: je pense que c'est valorisant. Il n'y a pas un contenu qui va en ondes sans que je l'aie vu, mais il y a des gens en place que j'admire, et je ne veux pas avoir tout le contrôle. Je pense que ça étouffe les gens et que ça étouffe leur créativité, de même que leur confiance en eux. Des fois, je me dis qu'ils vont partir, et tant mieux si c'est ça qu'ils font. Je ne me souviens pas de la fois où je n'ai pas dit: "Je suis tellement contente pour toi." Y'en a qui veulent t'attacher pour se sécuriser... Moi, si tu m'attaches, je pars. Les gens ne nous appartiennent pas.»

Et peu importe où elle va, France emporte la musique avec elle. Élevée dans une famille de musiciens, elle a apprivoisé les sons en apprenant l'orgue. Mais la méthode Hammond et la pédale étaient trop complexes pour nourrir l'intérêt d'une éventuelle carrière d'organiste. Son idylle avec les touches a donc été de courte durée. Par contre, l'univers musical dans lequel elle gravite va bien au-delà de sa populaire émission du samedi. Si vous vous retrouvez chez elle pour une soirée, vous risquez fort de vous improviser musicien à votre tour! «J'ai plein d'instruments chez nous. Tout est là pour un *jam* potentiel! Ça a été une façon de m'exprimer et de m'ouvrir, à l'adolescence... C'est bien important que mes enfants aient ça. C'est un mode de communication. Alors chez nous, les *partys*, ça vient avec la musique — tout le temps.»

Et si France était à son tour l'invitée de sa propre émission, quels seraient donc les airs qu'on y entendrait? «J'ai du mal à répondre... Je connais presque tous ceux qui font de la musique, maintenant. C'est difficile pour moi de juste écouter. C'est comme si je n'étais pas capable de faire la différence entre les musiciens et la musique. J'ai appris à aimer tellement de styles à travers les artistes! Par exemple, j'appréciais moins la musique classique avant, mais l'an passé, j'ai été porte-parole pour l'Orchestre symphonique de Montréal (OSM). J'ai capoté! Je reçois tout à la maison, et j'écoute tout. Je trouve ça à la fois dommage et l'*fun*. Parce que derrière chaque création, il y a un créateur et une démarche. Après, je vais les rencontrer: je veux savoir d'où ils sont partis, ce qu'ils font. Ça m'intéresse! Je peux autant écouter Patrice Michaud que Vincent Vallières, ou du vieux blues sale et du R&B... C'est large.»

Aussi, parce que France est bien consciente du milieu difficile dans lequel évoluent les musiciens, elle s'évertue à expliquer à ses enfants que la musique, ce n'est pas gratuit, et qu'il en va de notre devoir de consommer de manière

éthique. «On n'a pas encore trouvé de système qui soit juste. J'ai confiance qu'on va arriver à quelque chose, mais actuellement, c'est infiniment difficile pour les artistes... On ne se rend pas compte que nos souvenirs d'enfance, notre adolescence, notre premier amour et nos films ne seraient pas les mêmes sans la musique qui y est rattachée. On tient pour acquis cette musique-là, et l'argent ne va pas aux créateurs. Il y a des gens qui se disent qu'ils ne peuvent plus faire ça dans la vie, ce qui fait qu'actuellement, j'ai envie de les encourager plus que jamais. Durant la première année d'*En direct de l'univers*, on entendait des agences et des gérants qui demandaient: "Avec qui il va être sur le *show*? Il ne peut pas y être si..." On a tassé ça assez vite! Il n'y a rien de trop à gauche ou de trop à droite; rien de quétaine et rien de *has been* ou de trop *underground*. Pour moi, c'est bien important. Quand j'entends qu'il y en a qui lèvent le nez les uns sur les autres dans la situation actuelle, ça me fâche.»

Sinon, chez France, l'indice du bonheur atteint son paroxysme non seulement quand les gens prennent un instrument pour improviser dans son salon, mais lorsque son îlot de cuisine est rempli de plaisirs gourmands. La grande table en bois de sa salle à manger est aussi l'un des meubles importants de sa demeure où il est rare que moins de huit personnes se réunissent pour souper. Mais l'amoureuse de la bonne bouffe qu'elle est avoue que son estomac est devenu plus fragile et que son hygiène de vie a changé à la suite du très grave accident de voiture dont elle a été victime, il y a trois ans. «Ç'a pris deux ans de physio et de réhabilitation, et on m'avait dit que j'allais rester avec des séquelles, que j'allais avoir mal au cou toute ma vie. J'ai eu une commotion cérébrale... Mais dans ma tête, ça ne se pouvait pas que ça reste comme ça. Il fallait juste trouver la façon de bien guérir. J'ai eu des moments de découragement épouvantables. Je ne pense pas positif tout le temps; j'ai braillé en petite boule...» Au début, France s'est gardée de dire à son équipe qu'elle avait des séquelles de l'accident. Sa mémoire à court terme était affectée. Pour arriver à se souvenir de tout, elle plaçait des petits cartons partout autour d'elle avant que commencent les enregistrements d'*En direct de l'univers*.

France continue son histoire. Les mots ont du mal à sortir de sa bouche; elle pleure. «Un matin, il était 5 h, j'étais assise au bout du quai. Ma troisième voisine est passée et m'a demandé ce que je faisais là, aussi tôt. J'ai commencé à paniquer. Je lui ai demandé: "Est-ce que je vais rester comme ça toute ma vie?" Elle m'a dit qu'elle connaissait un excellent physio. Je lui ai répondu que 1 000 fois, on m'avait dit la même chose. Elle a insisté en me disant que celui-là avait soigné des athlètes olympiques. Moi, c'était mon rêve d'aller aux Olympiques [NDLR: on lui avait confié un mandat à Sotchi], de voir tous les pays représentés... Et je me disais que je ne serais pas capable de le faire. J'étais incapable de faire mes journées, j'étais trop fatiguée. Tout était égrené: le cartilage, les fascias, tout ce qui est autour, puis j'avais deux cervicales qui étaient débarquées. Mais je suis allée le voir, son physiothérapeute... et ce gars-là a changé ma vie. Il m'a dit: "Écoute, ça va être long, mais j'y crois." Je lui ai demandé: "Qu'est-ce que je fais pour les Olympiques?" Il m'a répondu: "Je ne peux pas prendre la décision pour toi, mais tu ne seras pas à 100%. Or, je te garantis que si tu fais ce que tu as à faire, le matin des Olympiques, tu vas y aller." Et j'y ai cru. La veille, avant de partir pour Sotchi, je suis allée le voir et je lui ai demandé: "Tu es sûr que je peux partir?"» France a de la difficulté à parler. «Je lui ai dit: "J'ai eu confiance en toi"... et lui m'a répondu: "Moi, j'ai eu confiance en toi." Il y avait en moi une confiance indéfectible. Je ne sais pas d'où je tiens ça, mais... Dieu merci! Ç'a fait en sorte que j'ai trouvé le chemin. Pour moi, ça, c'est aussi de la rébellion, parce que j'aurais pu croire le premier médecin. Aujourd'hui, j'ai zéro séquelle et je suis plus en forme que je l'étais dans le temps. Et j'ai une saine hygiène de vie: c'est très précieux pour moi.»

Et maintenant que sa vie est redevenue un feu roulant, que lui reste-t-il à accomplir? «Je ne suis tellement pas sur un chemin en ligne droite. J'ai toujours peur de visualiser quelque chose de trop précis, alors qu'il y a tout ce que je ne sais pas qui peut arriver et qui va exister dans quelques années. Tout est possible! J'ai la forte volonté de rechoisir, pour ne pas avoir l'impression de subir», dit-elle.

Amaro

LES BONNES ÉTIQUETTES

Beaucoup de restaurants au Québec offrent une bonne variété d'amari au verre. Voilà une excellente façon de découvrir les subtilités de chacun d'eux. Tu pourras trouver les bouteilles mentionnées ci-dessous à la SAQ.

Averna
Montenegro
Nonino Amaro Quintessentia
Evangelista Punch Abruzzo
Fernet-Branca*

———

* Le Fernet-Branca est considéré par certains comme une sous-catégorie d'amaro. Meilleur ami du sommelier, il est TRÈS amer. Je te conseille de commencer par les autres amari pour graduellement te tourner vers ce produit.

Déjà, les Grecs et les Romains reconnaissaient les bienfaits de l'amaro. Mais ce sont les moines qui en ont propagé les recettes en Europe. Celles-ci étaient souvent prescrites dans un contexte médical. On rêve tous d'un docteur qui nous recommanderait un tel traitement! D'origine italienne, cette liqueur naît de la macération d'ingrédients amers — comme des plantes, des écorces, des fleurs, des herbes et des zestes d'agrumes — dans un alcool neutre ou du vin. On y ajoute ensuite un sirop et, souvent, on fait vieillir le liquide en fûts avant de l'embouteiller. Bien que les maisons divulguent la base de leurs recettes, leur mixture n'est jamais complètement révélée. Le mélange exact demeure le plus souvent un secret, et chacun porte sa propre signature.

Le teneur en alcool d'un amaro varie entre 15 et 40%. Certains le boivent en apéritif, car il attise l'appétit, mais on le prend habituellement comme digestif. On le savoure nature ou avec un glaçon, tandis que d'autres l'apprécient avec un zeste d'orange. Chouchou des mixologues, c'est l'un des ingrédients de choix de plusieurs cocktails.

Même si ces recettes existent depuis des siècles, on remarque une renaissance de l'amaro depuis les 10 ou 15 dernières années. Plusieurs sommeliers propagent leur amour de cette boisson en en suggérant plusieurs noms sur leur carte. Le terme «amaro» n'étant pas légiféré, on peut le produire ailleurs qu'en Italie. Par exemple, les bars et les restaurants de San Francisco débordent de bons choix d'amers conçus un peu partout aux États-Unis. J'ai aussi le souvenir de délicieux amari (c'est comme ça qu'on dit «amaro» au pluriel) dégustés en Argentine et en Allemagne, entre autres.

Ma chère France, je te propose un médicament plus joyeux que l'ibuprofène. Un petit verre d'amaro à la fin de ton repas t'aidera sans aucun doute à digérer. Si jamais tu pars à l'aventure en Italie, tu risques d'en découvrir de nombreuses recettes — surtout si tu demeures dans une famille, comme tu aimes tant le faire. Plusieurs d'entre elles ont en effet élaboré leurs propres mixtures.

Vin orange

Même si on dénote un engouement pour cet alcool depuis les dernières années, le vin orange n'a rien de révolutionnaire. Cette manière de vinifier le vin blanc comme un vin rouge est une tradition qui nous vient du Caucase et qui remonte à l'Antiquité. Le vin orange est fait à partir de cépages blancs qu'on laisse macérer sur la peau du raisin (et parfois la rafle) pour plusieurs jours, voire plusieurs mois, selon le résultat souhaité par le vinificateur — contrairement au vin blanc, où l'on sépare les solides du liquide en vue de la fermentation. L'amphore était le contenant de choix pour sa vinification pendant l'Antiquité, et plusieurs artisans la préconisent encore aujourd'hui.

Les arômes varient selon le cépage utilisé et valsent entre les notes florales, l'écorce d'orange et d'autres agrumes, l'hummus et les champignons. Sa structure tannique dépend aussi du cépage ainsi que de la durée de la macération pelliculaire. J'apprécie particulièrement la matière en bouche et l'amertume qui s'installe en finale dans plusieurs de ces vins. Ils offrent une multitude de possibilités d'accords.

Le vin orange a été réintroduit dans les années 1990 par Stanislao «Stanko» Radikon et Joško Gravner, deux producteurs cultes de la région du Frioul-Vénétie Julienne, dans le nord de l'Italie. Tout comme l'amateur naissant de musique classique ne commence pas en écoutant Stravinsky ou Wagner, le néophyte du vin orange ne devrait pas connaître ses premières expériences avec des bouteilles provenant de Radikon ou de Gravner. Ces vins peuvent être grandioses, mais ils sont parfois difficiles à aborder et facilement incompris. Nombreux sont les vins orange plus faciles d'accès (merci à la popularité grandissante de ce produit!). Les restaurants sont aussi une bonne façon de les découvrir. Plusieurs d'entre eux en offrent au verre.

France, toi qui aimes sortir du cadre — non seulement en explorant divers styles, mais différentes méthodes —, sache que les vins orange sont souvent conçus par de petits producteurs non conformistes. Voilà une manière de déstabiliser tes amis en douceur! Un choix digeste lorsque tu sers un assortiment d'olives et de fromages à pâte lavée sur ton îlot pour l'apéro, ainsi que des légumes grillés.

LES BONNES ÉTIQUETTES

Plusieurs de ces vins sont offerts en importation privée. Mais toi qui trouves une solution à tout, tu pourras facilement en commander une caisse directement auprès de l'agence d'importation et la partager avec tes amis.

Southbrook Vineyards
   (importation privée: Delaney
   Vins & Spiritueux)
Julep (importation privée: Glou)
Gravner (importation privée:
   Bacchus 76)
Radikon, Cos et La Stoppa
   (importation privée: Œnopole)
Little Farm Winery
   (achat en ligne)
Dario Prinčič (importation
   privée: Boires)

Zinfandel

Ce cépage originaire de Croatie, d'où il tient son premier nom — tribidrag —, brille dans les Pouilles, en Italie (où on l'appelle primitivo) et en Californie, où on le nomme zinfandel. Il peut être vinifié en rosé et en vin fortifié, mais son charme atteint des sommets lorsqu'on le produit en rouge. L'expression du zinfandel californien est à son apogée s'il est issu de vieilles vignes non irriguées. Dodu et robuste, il dévoile des notes de fruits noirs confiturés et, à l'occasion, de fruits secs. Ses tannins sont souples et sa teneur en alcool élevée. On le vieillit parfois en fûts de chêne français, mais ses arômes s'harmonisent particulièrement bien avec ceux qui sont d'origine américaine. La majorité des vins se boivent jeunes, bien que Ridge Vineyards fasse mentir cette affirmation. J'ai été subjuguée plus d'une fois par de vieux millésimes de cette maison.

Racoleur, le zinfandel est idéal pour l'amoureuse des vins rouges chauds et costauds. Il fera l'unanimité si le *jam* de musique de ton salon se termine autour d'un feu de camp. Il réchauffe l'âme facilement, surtout lors des nuits fraîches et des journées d'hiver.

LES BONNES ÉTIQUETTES

Ridge Vineyards
Joel Gott
Peter Franus
Seghesio Family Vineyards
Domaine de la Terre Rouge

Marc Séguin

**AUTHENTIQUE   DIRECT
CRÉATIF   TIMIDE**

Dès mes premiers pas dans la Galerie Simon Blais, située sur le boulevard Saint-Laurent, à Montréal, je hume l'immensité et le froid du Grand Nord. Je suis entourée de blanc. La dernière exposition de Marc Séguin est grandiose. Certains coups de pinceau m'intriguent. Devant les créations d'un peintre, j'ai souvent le sentiment d'être dans les souliers de ceux qui sont effrayés par l'univers du vin. Malgré de multiples visites dans des musées aux quatre coins du monde, je demeure intimidée. J'ai peur de ne pas comprendre les œuvres ou les intentions de l'artiste. Cela m'empêche de faire confiance à mes impressions. Pourtant, qu'il soit question de vin ou d'arts visuels, l'important, c'est de se laisser transporter, toucher. Et cette émotion, personne ne peut la critiquer. Ni le sommelier ni le peintre.

Je garde mon sang-froid lorsque l'artiste que j'admire vient à ma rencontre. Il est 10 h du matin... et jamais trop tôt pour partager un verre de vin blanc en bonne compagnie. Les premières gorgées instaurent un climat de détente: la mienne. Comment peut-on juger de la qualité d'un tableau? «Je pense qu'on peut juger de sa qualité quand les gens en parlent encore des années après sa création», avance Marc Séguin avant d'ajouter: «C'est vrai qu'il y a un parallèle à faire entre le monde du vin et celui des arts visuels. Moi aussi, je le fais... Je pense qu'il y a des intermédiaires qui viennent brouiller les pistes dans le monde des arts comme dans celui du vin. On parle ici des critiques d'art ou des sommeliers. Ils vont sacraliser la patente parce qu'il faut soutenir le marché. Je crois que le premier conseil à donner aux gens, c'est de se demander si c'est bon dans leur bouche... Je pense qu'au départ, la porte d'entrée, ce sont les émotions, ou l'intelligence émotive — peu importe ce que c'est. Entrez dans les galeries: vous avez le droit de ne pas aimer ça, de ne pas parler, d'être bouleversé. Je pense que ce sont de toutes petites libertés que les gens doivent se donner.»

Vous l'ai-je dit? Séguin est un amoureux du vin. Aussi Champlain Charest compte-t-il parmi ses mentors. «Un jour, quand j'étais très jeune, je chassais avec Champlain. Il m'avait dit: "C'est important de lire l'étiquette sur la bouteille aussi. C'est peut-être bon dans ta coupe, mais c'est l'*fun* que tu comprennes ce que tu bois, qui c'est qui l'a fait, d'où ça vient, de quelle région, dans quel pays." Acquérir ces connaissances-là, ça permet de se construire. C'est la même chose pour l'art.»

L'artiste parle le même langage que moi. «Je connais des vignerons qui trippent à faire leur produit. C'est l'*fun*, des fois, de mettre des étiquettes dessus et de vendre ça à prix fort, mais quand tu t'assois tout seul avec ces vignerons, ces fermiers, pis que t'enlèves tous les artifices, c'est ce qui se passe dans le verre qui a le dernier mot.» Une gorgée. «L'art, c'est la même chose. Je pense qu'il faut y aller avec beaucoup d'humilité et ne pas avoir d'appréhension. Ne pas avoir peur de se sentir nul, de ne rien comprendre. La meilleure chose à faire pour quelqu'un qui est intimidé par le vin, c'est de s'asseoir devant 50 verres de vin, avec rien, aucune étiquette, juste des verres. Et goûter, goûter, goûter. À un moment donné, on trouve ce qu'on aime. L'art, c'est la même chose. Ce n'est pas une réputation, un discours ou une campagne de relations publiques qui rend un tableau intéressant. Je préfère être happé par une œuvre de quelqu'un d'inconnu encore aujourd'hui que par le nom de quelqu'un. Évidemment, je m'intéresse à Monet; j'aime constater son évolution, comprendre sa vie. Mais il faut que l'œuvre aussi parle pour elle-même.» Lancé sur cette piste, Marc Séguin est intarissable. Il revient sur l'aspect parfois élitiste de l'art. «Si vous êtes intimidé, disons par l'atmosphère d'un musée ou le personnel d'une galerie, c'est qu'il y a quelqu'un qui fait mal sa *job*.»

Non seulement les galeries d'art font peur, mais on a tendance à attendre la mort des artistes pour les glorifier — un phénomène qu'on observe surtout en arts visuels. Marc Séguin est l'exception. Quel est l'avantage d'avoir une reconnaissance de son vivant? «Moi, je pense qu'il y en a juste un: la liberté que ça procure. La liberté financière, mais aussi la liberté morale. Les gens me font confiance. Ils ont compris que je ne suis pas là pour faire un seul tour de piste pour cinq ans. Alors si, par exemple, je prends le risque de présenter mon travail et que je me plante, j'ai l'impression que ce n'est pas si grave que ça. Je vais brailler ma vie et je vais vouloir me pendre, mais ça passera. Il y a comme une conversation, un dialogue qui est établi. On veut entendre ce que j'ai à dire. C'est très précieux dans une vie d'artiste.»

N'empêche: il faut un courage énorme pour se mettre à nu et affronter les critiques. Je demande à Marc si l'opinion de ceux-ci influence son travail. «Je dirais: oui et non. Tout ça fonctionne par osmose. Dans une vitesse qui n'est pas du genre: ça, ça marche et je continue à en faire, ou ça ne marche pas, alors j'arrête d'en faire. C'est à petites doses, à petite échelle. Des fois, quelqu'un me dit: "Wow! Ça, ça m'a parlé!", ou alors quelqu'un fait une visite d'atelier et regarde un tableau plus longtemps. Une seconde de plus. De mon vivant, je sais ce que les gens pensent de ce que je fais. Même si j'aimerais ça clamer de toutes mes forces: *fuck it*, moi, je fais ce que je veux dans la vie, si quelqu'un vient me dire qu'il aime ou qu'il déteste ce que je fais, ça ne me touche pas. On est perméable, et tous ces trucs-là nous construisent. Parfois, ça n'a aucune incidence sur le travail ou sur les gestes qu'on va poser, et des fois, ça a une incidence directe. Puis, des fois, il y a une drôle de façon de mesurer la réussite. C'est malheureux, mais si on dit que tout est vendu, ou si ton livre est toujours dans les *best-sellers*... C'est un piège. J'en connais, des trucs qui se vendent à 100 000 exemplaires, et c'est de la merde. Ce n'est pas la bonne façon de juger une œuvre.»

Y a-t-il des désavantages à être témoin de son propre succès? «La réussite vient avec beaucoup d'envie et de jalousie. Il faut être imperméable à ces trucs-là. J'ai compris quelles étaient mes valeurs, et je ne le fais pas pour que les gens me disent que je suis fin, gentil et que ça vaut de l'argent. J'entre à l'atelier, et c'est là que j'existe dans l'univers. Quand je suis assis à mon bureau et que j'écris, c'est là que ma vie prend du sens. Pas dans les conséquences qui découlent de mes gestes. À la fin, ce qu'on retiendra, c'est mon œuvre. Mon énergie, je la canalise là: c'est ma quête.»

Mais l'angoisse guette toujours. Elle est la compagne des périodes de création, et Séguin n'échappe pas à sa présence. «C'est la ligne d'horizon: ça n'a jamais changé, jamais. C'est ma mécanique à moi: ma vie serait plus simple si je n'avais pas ça. Je sais qu'en général, si je suis trop sûr de moi, je me plante. C'est comme ça dans toutes les sphères de ma vie. Il a toujours fallu que je revienne à cette humilité-là, à me dire: je ne suis pas sûr.» Mais pour être artiste, faut-il nécessairement être torturé? «Non, vraiment, je ne pense pas. Il faut être préoccupé, pas torturé. Je pense malheureusement qu'on confond les deux. J'ai été chanceux dans la vie: j'ai rencontré de grands individus, de grands artistes et, surtout, les personnes les plus humbles que j'ai jamais croisées. Cela dit, je pense qu'il faut des fois être habité par la rage, avoir envie de crier et de nommer des choses pour être artiste. Il faut avoir vécu beaucoup, aussi. Je pense que les plus grands artistes sont ceux qui parviennent à connecter leur identité avec la capacité qu'ils ont de nommer ce qu'ils sont ou ce qu'ils ressentent.»

Le sensationnalisme semble souvent faire partie des ingrédients nécessaires pour qu'un représentant en arts visuels se démarque. Et souvent, cette réalité est amplifiée par les médias. Marc adhère à cette idée. «C'est très triste que ce soit devenu comme ça. C'est-à-dire que si tu mets ton tas de merde en "canne", tu auras assurément de la couverture médiatique. Il y a quelque chose de spectaculaire, mais ça ne dure pas. L'art le plus éternel, c'est encore celui qui est le plus simple et le plus direct. Les œuvres qui sont conservées durant trois ou quatre siècles dans les plus grands musées du monde ne le sont pas parce qu'elles ont choqué, mais parce qu'elles ont touché.» Il poursuit en expliquant pourquoi les arts visuels sont victimes de cette tendance. «Il y a un grand besoin d'attention. Je vais faire un parallèle cucul, mais: que fait un enfant quand il éprouve un déficit d'attention? Il crie fort pour que les gens comprennent qu'il existe, qu'il est là. Alors probablement que les arts visuels souffrent un peu de ça.»

Du Séguin, ce n'est pas du tape-à-l'œil. Ses créations nous font réfléchir en plus d'évoquer ses préoccupations. Marc m'explique sa signature. L'image de Leonard Cohen en position de prière devant son public me vient en tête.

«Je m'imagine toujours à genoux, dans une position d'humilité relativement à cet acte créateur-là! Je suis une toute petite fourmi par rapport à ce potentiel qui existe de pouvoir se dire: je peux faire ça, je peux parler et rejoindre des gens. Et, évidemment, il y a des prises de risque tout le temps. Je pense que cette démarche-là, qui est très personnelle, demeure un chemin d'humilité. Il faut retourner à l'essence de ce que c'est.»

Sa créativité ne s'exprime pas que par ses coups de pinceau. Cinéaste et écrivain, l'homme a de multiples talents. Mais il n'y a qu'une forme d'art qui lui permette de s'exprimer sans contrainte. «La plus libre, la moins codée, ce sont les arts visuels — et de loin! C'est fou combien le cinéma est réactionnaire. C'est un système qui est "policé", qui reste très frileux aux prises de risque. Si tu as mis 10 millions pour financer un film, tu ne peux pas te permettre de faire juste 50 000 $ au *box-office*. Le plus beau cinéma que je vois, il n'est pas présenté dans les cinémas: il est fait par des ti-culs, avec de l'huile à bras, et dans la nécessité, dans l'urgence. Je considère que ça, ça vaut quelque chose.» Or, les artistes purs et durs qui peuvent créer ce qu'ils veulent sans se soucier d'une machine qui soutient leur art, c'est rare. «En fait, tu sais quoi? Oui, j'entends ce discours, mais c'est le contraire qui est grave. Ce n'est pas normal qu'il n'y en ait pas plus; que tout devienne formaté, générique. Et ça, c'est grave.»

Intarrisable, disions-nous? Marc Séguin élargit le débat en affirmant que créer demeure un acte de résistance et un geste politique, une nécessité. «Quand je voyage, ce n'est pas le bilan du gouvernement du pays que je visite qui m'intéresse. Je vais au musée, voir la scène musicale, les films. C'est la culture qui me fait aller quelque part. Je considère qu'il est de plus en plus essentiel que la voix des artistes se fasse entendre. Dans cette hégémonie de tout, vouloir étouffer la créativité au profit de l'économie, je le répète: c'est grave.»

Sur ces mots, Marc parle de ceux qui l'inspirent et le touchent, toutes formes d'art confondues. «J'écoute beaucoup de musique. Bernard Adamus, Safia [Nolin]... Elle me transperce, cette fille-là. J'aime Leonard Cohen. Mark Rothko en peinture, je peux m'évanouir. Je lis beaucoup: je suis en train de faire des trucs pour une réédition des textes de Félix Leclerc. Il écrivait des calepins et des journaux, c'est hallucinant. Stanley Kubrick... En fait, j'aime les choses qui vont plus loin que le divertissement. Je voue un culte à Goya. Je me dis que si pendant 160, 175 ans, ses œuvres ont survécu et sont encore aussi pertinentes aujourd'hui (ou à peu près), c'est parce qu'il a transcendé quelque chose. En peinture, mes modèles, je suis obligé de dire que ce sont des Québécois: Jean-Paul Riopelle, Paul-Émile Borduas, Marcelle Ferron, Françoise Sullivan, Guido Molinari, Yves Gaucher... Je suis très attaché au territoire. À chez nous.»

«J'aime le vin quand il y a du vin dedans. Quand tu peux sentir le travail et que quelqu'un y a goûté, qu'il l'a fait, qu'il y a réfléchi. J'aime que le vin soit tributaire de la nature. Il y a des années où c'est moins généreux, et ça fait du bien de savoir qu'il y a des trucs qu'on ne contrôle pas.»

MARC SÉGUIN

Xinomavro

Comme une évidence, je voulais te servir un bourgogne rouge. Parce qu'il n'y a pas beaucoup de cépages qui sont aussi vulnérables que le pinot noir devant Dame Nature et l'œnologue. La première doit être généreuse et le deuxième doit avoir l'humilité de s'agenouiller pour laisser le pinot noir se révéler. Mais comme ta cave pourrait faire rêver tous les amoureux de la Bourgogne, je te propose un autre vin qui, pour moi, est aussi très attachant.

La région de Naoussa, dans le nord de la Grèce, permet au xinomavro de donner le meilleur de lui-même. Présentant une couleur qui tire sur le grenat, des tannins puissants, une acidité plutôt élevée et des arômes de cerise, de fraise, de champignon et de réglisse, il rappelle parfois le nebbiolo du Piémont, en Italie, ou alors le baga de Bairrada, au Portugal. Voici une description plus abstraite du xinomavro, une fois que les sentiments prennent le dessus sur la théorie. Pour moi, il y a quelque chose de vrai, d'authentique et de cru dans la façon dont s'exprime ce cépage. Même s'il peut à l'occasion être rustique, il est toujours ensorcelant. Les meilleures bouteilles peuvent très bien vieillir. L'histoire devient nécessairement plus intéressante avec le temps...

LES BONNES ÉTIQUETTES

Domaine Thymiopoulos
Ktima Foundi
  (importation privée: Rézin)
Boutari (à privilégier:
  la cuvée Grande Réserve)

Pour toi qui adores découvrir des artisans moins connus, le xinomavro de Ktima Foundi fera un excellent compagnon à ces hamburgers à l'oie que tu aimes tant préparer avec le chef Martin Picard. Rien de mieux pour célébrer le fruit d'une bonne chasse. Comme diraient mes amis grecs: *yamas!*

Prince Edward County

La région de Prince Edward County, en Ontario, est la dernière de la province à avoir obtenu une appellation — dernière en date, mais ô combien prometteuse. À l'égal de l'artiste qu'on acclame dès ses débuts, les jus issus de Prince Edward County se font déjà remarquer.

La région est dotée de tous les éléments nécessaires pour faire des vins de qualité, en commençant par le type de sol. En effet, les périodes glaciaires ont laissé une petite île de roche calcaire recouverte d'une superficie de moins de un mètre à certains endroits. Le bon drainage qu'offre la surface rocailleuse sur la roche mère calcaire permet aux racines de la vigne d'aller puiser l'eau emmagasinée au printemps, durant la période végétative. Le tout donne de petits rendements, avec des raisins concentrés en arômes. Bref, un trésor pour les vignerons.

Sur ce type de sol prisé, le chardonnay et le pinot noir s'épanouissent tout particulièrement. Le climat frais tempéré par le lac Ontario et les vents de l'Ouest permettent de produire des vins remplis de fraîcheur, qui réveillent les papilles gustatives. Pour toi, Marc, qui aimes les produits du terroir: pense au pinot noir pour l'oie et le canard, et au chardonnay pour le homard.

Petit rappel... Acheter une bouteille d'un vigneron, c'est, en quelque sorte, une manière d'être mécène. Leur terroir est extraordinaire — aidons-les à réussir, pour la suite des choses.

LES BONNES ÉTIQUETTES

Norman Hardie Winery
  and Vineyard
Closson Chase Vineyard
Grange of Prince Edward
Trail Estate Winery
  (achat en ligne)

«Des fois, j'ai même des regrets d'avoir des mots pour décrire le vin.»

MARC SÉGUIN

Taras Ochota (Ochota Barrels)

Dès mes premiers pas dans l'atelier de Taras Ochota, mon cœur souriait. Des bouteilles vides de pastis et d'amaro sur une tablette; une table tournante avec une sélection de vinyles tous plus intéressants les uns que les autres; d'anciennes affiches de cinéma; quelques planches de surf; puis, derrière... ses bébés, soit une petite quantité de fûts de chêne remplis de ses créations. Dehors, le bruit des oiseaux, ainsi qu'un chantier de fleurs et d'herbes fraîches sur un petit coin de terre de quatre hectares situé dans la région de Basket Range, à Adelaide Hills, en Australie. L'univers de cet artiste vibre de bien-être. Sa maison est chaotique, mais les murs résonnent en permanence des moments de joie passés en bonne compagnie. Sur le piano qu'on trouve dans l'entrée, Mick Jagger s'est même amusé à jouer quelques notes lors de son dernier passage dans la région. Le grand du rock and roll n'était pas à la recherche d'un château, mais d'une chaumière du bonheur: celle de Taras et de sa femme, Amber.

Ce sont des visites comme celles-là qui me rappellent pourquoi j'exerce mon métier. Pendant que la casserole de poulet finissait de cuire, Taras nous a fait déguster sa gamme de vins. Sur une table à pique-nique entourée d'arbres, chaque bouteille émanait d'authenticité. Sa gamme est diversifiée, mais la fraîcheur, l'élégance et la texture sont toujours au rendez-vous. Inspiré par la biodynamie avec des vignes cultivées en bio, ce vigneron fabrique des vins le plus naturellement possible: levures indigènes, aucune addition d'acidité, et un minimum de dioxyde de soufre (SO_2) ajouté. Mais si l'intuition et la sensibilité guident son intention, la méthode de travail de cet homme est basée sur ses connaissances acquises par des études et des années d'expérience dans plusieurs régions vinicoles du monde.

Ochota Barrels.
Sa gamme entière est excellente, mais j'affectionne particulièrement le doigté dont fait montre Taras avec la syrah et le grenache. Sa syrah I am the Owl rappelle l'élégance et le côté séducteur des vins d'appellation Côte-Rôtie (importation privée: La Céleste Levure).

Taras Ochota se révolte parfois lorsqu'il suit l'évolution de la polémique entourant les vins nature. Ce n'est pas parce que c'est nature que c'est bon, croit-il: encore faut-il savoir faire le vin! Pour lui, la recherche de la pureté est primordiale, question que le vin laisse parler le terroir. Si les fautes prennent le dessus, ce n'est plus le terroir qu'on expérimente, pense-t-il. Un soir, au milieu des étoiles, après un ou trois verres de vin, Taras m'avait d'ailleurs dit:

«Le mouvement des beaux vins? Une sous-catégorie de vins nature: magnifiquement cultivés, et faits tout en bio. Pas de brettanomyces, pas de spritz et pas d'aldéhydes, qui sont des fautes techniques que comportent beaucoup de vins nature. Les beaux vins, ce sont simplement des vins propres, délicieux et beaux.»

La sensibilité et la créativité de Taras Ochota sont en symbiose avec la connaissance de son art. Ses bouteilles ont beaucoup de choses à raconter. Je pense que Taras et toi, Marc, feriez bon ménage.

DENIS GAGNON

Denis Gagnon

**SENSIBLE   CRÉATIF
GÉNÉREUX   TIMIDE**

C'est ma dernière entrevue. J'éprouve une certaine tristesse au moment de raconter cette histoire — non seulement parce que c'est la fin d'une aventure extraordinaire, mais parce que certains thèmes abordés sont comme des refrains qui n'en finissent plus de recommencer. Ceux dont nous sommes si fiers et qui portent le flambeau de la culture québécoise souffrent. Que serait le Québec sans les écrits de ses poètes, les fantaisies de ses acrobates, les émotions que portent ses grandes œuvres visuelles, les moments de rêve passés en compagnie de ses acteurs et ses chansons qu'on fredonne autour d'un feu de camp? Les arts, c'est notre identité.

Aujourd'hui, ce même leitmotiv revient lorsque je demande à Denis Gagnon comment il définit sa griffe. «J'ai de la difficulté à répondre à ces questions-là. Je ne suis pas un intellectuel: je suis quelqu'un d'assez spontané, qui fonctionne à l'émotion... Maintenant que j'ai pignon sur rue et que je dois payer un bail, les choses ont changé. Quand je suis arrivé, je faisais des pièces très créatives; j'avais peu de choses ici, dans la boutique, c'était très minimaliste. Mais j'ai dû changer mon fusil d'épaule, parce que je ne vendais rien.»

Les propos qui suivent n'ont rien de surprenant. L'excellence effarouche. «Lorsque j'ai fait une exposition au Musée des beaux-arts, il y a eu un *momentum*. J'étais allé à *Tout le monde en parle*, et les gens pensaient que je vendais mes pièces très, très cher. C'est difficile: les gens, ça les intimide quand c'est trop beau. J'ai changé: j'ai fait des choses beaucoup plus simples, des choses qui coûtent moins cher à produire. Donc, maintenant, je me décris comme quelqu'un qui s'adapte à la mode d'aujourd'hui et d'ici tout en conservant son identité. Bien sûr, il y a le noir. J'aime les choses qui sont très androgynes; je n'aime pas trop ce qui est très sexuel, j'aime ce qui est entre les deux. Les choses un peu retenues, jusqu'au cou. Je n'aime pas mettre les poitrines en valeur, mais je le fais souvent, parce que les femmes d'ici aiment ça. J'ai "féminisé" mes vêtements par la force des choses. Au bout du compte, je veux survivre et avoir une certaine qualité de vie.»

Le défi financier qui vient avec la location d'un loyer dans le Vieux-Montréal est grand. L'inquiétude est omniprésente. «Vu tout ce que j'ai à payer, je dois me résoudre à faire des choses très simples, mais je garde aussi des choses qui me représentent», dit le créateur. Et dans l'industrie de la mode, il y a le marché, mais il y a aussi la difficulté de trouver de belles matières premières... et la question de la main-d'œuvre. «Trouver des gens qui ont une expertise dans le vêtement, ça devient très cher, et c'est très difficile d'afficher des prix compétitifs. Hier, j'étais déprimé. Ça faisait trois jours que je n'avais rien vendu. C'était la fête du Québec, mais oublie ça. C'était rempli de gens parce que tout est en solde partout. Mais moi, je ne peux pas: je n'ai pas les reins assez solides. Pour arriver à ça, j'ai une clientèle privée: je fais des costumes de théâtre, j'habille des actrices, des acteurs et des chanteurs. Mais ces clients ont déjà une idée en tête, donc ils ne prennent pas nécessairement ce que j'ai dans la boutique. C'est la triste réalité de la mode au Québec... C'est de plus en plus difficile. Je connais des grands créateurs d'ici, de grands noms, qui m'ont dit dernièrement qu'ils voulaient tout arrêter. Il y a beaucoup de financement pour de grosses compagnies. Des gens qui font tout produire en Chine... Mais il n'y a pas d'encouragement pour les créateurs d'ici.»

J'interromps l'entrevue, le temps de replacer une étiquette dans mon dos qui m'agace. Je suis vêtue de Denis Gagnon. Je voulais sentir la vibration d'une de ses pièces d'art. Le porter, c'est le comprendre. Mais l'inconfort est hors du commun... En me levant, Denis me fait remarquer que j'ai mis les pantalons à l'envers. Sur une échelle de 1 à 10, ma gêne est à 20. Une belle façon de briser le nuage gris des propos précédents! Je rougis, il sourit.

Si je le pouvais, ma garde-robe serait remplie de vêtements signés Denis Gagnon. Son style intrigue. Le contraire du décolleté qui dévoile tout à la première seconde. Mais pour moi, il y a aussi une ligne précise. Quand je déguste du vin, il y a des formes qui me viennent en tête. Je vis une expérience identique lorsque j'admire les pièces de Gagnon. Il y a en elles un côté angulaire que j'affectionne. Même dans la rondeur et le mouvement de certains vêtements, on trouve des angles, du caractère. J'observe aussi une influence de la culture japonaise. «Parfois, il y a des choses qu'on ne voit pas et que les autres voient, explique le créateur. Par contre, le côté asiatique est toujours très important, oui. Je trouve ça magnifique; j'adore l'Asie. Je suis allé au Japon une fois et j'y serais resté toute ma vie. Ce continent m'inspire beaucoup. Des fois, je mets ces influences de côté un peu, mais même dans la prochaine saison, je veux que ça revienne. Je voudrais travailler l'esprit des foulards, tout ce qui est drapé, qu'on attache en croisé, même en ceinture; je voudrais retravailler tout ça, mais avec une touche sport...»

On revient sur le côté ardu de la carrière de Denis, puis on se dit que le courage va fréquemment de pair avec la naïveté. Et heureusement! Les plus grandes décisions ne se seraient jamais prises si on avait connu toutes les embûches qui y mènent. «Si je retournais en arrière, je ne ferais peut-être pas de la mode! Je ferais des accessoires: c'est tellement l'*fun*. Ils deviennent intemporels. Quand un sac se vend bien, tout le monde le veut, et la deuxième chose, c'est qu'il n'y a pas de saisons et pas de grandeurs! Alors c'est plus facile. Et côté vente en ligne, ça se vend beaucoup mieux qu'un vêtement. J'aime beaucoup les sacs à main, de toutes les sortes. Les souliers, aussi. Mais ça, les souliers, c'est une autre paire de manches, parce qu'il n'y a pas de main-d'œuvre pour faire des souliers ici, à Montréal.»

Le fait que les êtres les plus angoissés osent prendre des risques importants est un non-sens qui me concerne et me fascine. Je n'ai jamais compris comment c'était possible, et pourtant... «Quand on se met en danger, on court aussi le risque de réussir! Parfois, moins je prends de risques, plus je suis déçu. La seule raison pour laquelle j'en prends moins, c'est parce que j'ai des gens à ma charge. C'est juste ça. Mais si j'étais tout seul, je prendrais tous les risques du monde.» Denis poursuit en expliquant ce que signifierait pour lui de faire abstraction du danger. «Je travaillerais avec des gens très créatifs; j'essaierais de trouver deux ou trois personnes au moins pour m'aider. Un bon assistant qui a la même vision que moi, et là, je me lancerais dans toutes sortes de choses. J'expérimenterais sans penser à la vente, sans penser à qui va porter mes vêtements. Je ferais juste ce dont j'aurais envie. Puis, j'essaierais de le faire aussi en photo, en vidéo, et même en sculpture. J'aime beaucoup les installations... Mais je ne le ferais pas sous forme de défilés, parce que je n'y crois plus. Surtout pas ici. Ça ne donne vraiment rien: il n'y a pas d'acheteurs. C'est ça que je ferais.»

Son corps change de posture; ses yeux pétillent. Son inquiétude laisse place à la passion. Je lui demande de me parler encore de cette vision, de ce monde utopique dont il parle. «Je voudrais expérimenter avec des matières, des choses que je trouve... comme je l'ai fait auparavant. Je voudrais faire des tests, prendre la matière et jouer avec, l'amener ailleurs. Ici, l'avantage et le désavantage, c'est qu'on travaille avec les contraintes, et les contraintes, c'est ça qui nous fait créer. Comme il n'y a pas de matière... Comment prendre ce qui est disponible pour le faire tien, ou en faire quelque chose de créatif? On peut y faire des points, le laver, le brûler... Peu importe. Si je le pouvais encore, je retournerais en voyage. J'irais dans les grandes capitales; j'irais au Japon, justement, et à New York, à Paris, à Londres... Je referais le tour de toutes les grandes capitales et j'irais voir les grands créateurs, voir où ils sont rendus pour m'inspirer.»

Denis Gagnon puise ses idées ailleurs que chez les créateurs de la mode qu'il respecte. Ce que font Rick Owens, John Galliano, Acne, Dries Van Noten et Gucci le nourrit, mais l'esthète révère aussi les artisans qui œuvrent dans d'autres sphères et qui ont non seulement le talent de se réinventer, mais la force de caractère pour le faire. «En ce moment, j'écoute l'émission *Chef's Table*. J'en suis au troisième épisode — celui où Alain Passard, qui avait trois étoiles Michelin et qui basait toute sa cuisine sur la viande, a décidé en

1996 d'arrêter complètement d'en cuisiner pour ne préparer que des légumes! Il pensait perdre ses étoiles... mais il a pu se renouveler comme ça, et il a réussi à gagner toute sa clientèle. C'est un gros défi. Quelle audace!»

Le couturier gesticule, s'anime de plus en plus. Et la flamme qui l'habite réchauffe l'âme. Il parle de l'art contemporain et des artistes qu'il aime; de Robert Lepage, du Cirque du Soleil, de Philippe Starck et des œuvres musicales qui sont créées pour le cinéma. De jazz: Nina Simone, Billie Holiday... Bref, malgré le noir qui est omniprésent dans ses créations, Denis Gagnon a une vie remplie de couleurs. «J'ai déjà essayé la couleur, mais ça n'a jamais bien réussi. Ici, les gens n'aiment pas la couleur, mais moi, je l'adore! J'ai plein de fleurs chez moi: c'est rempli d'orchidées. Et dans le noir, il y a beaucoup de couleurs. Les noirs bleus, les noirs verts... Il y a toutes sortes de noirs. Il existe un côté mystérieux dans le noir, mais le mot qui me revient toujours, c'est: élégant.»

Cette élégance est une continuité qu'on observe dans toutes ses créations. J'étais déjà venue à sa boutique pour voler un moment de rêve en essayant quelques-unes de ses pièces. Aujourd'hui, c'est l'atelier situé au sous-sol de la boutique qui m'inspire. C'est là que l'artiste donne corps à toutes ses créations. Les murs d'un studio transpirent de l'essence d'un artiste. Un verre de riesling australien à la main, Denis m'ouvre les portes de son univers. «En période de création, je n'ai pas besoin de musique. J'aime ce que je fais. Je serais dans un bunker que ça ne me dérangerait pas! Je suis concentré, et l'environnement ne me dérange pas. Mon atelier est derrière, et ça dérange beaucoup mes employés parce qu'il n'y a pas de lumière. Ça les fatigue... Moi, ça fait six ans que je suis ici; j'ai été huit ans dans un autre sous-sol, et ça ne m'a jamais dérangé... Quand je faisais toutes mes créations avec des fermetures éclair, c'était dans un sous-sol. Il y avait de la "garnotte" par terre, et je m'en câlissais. J'étais bien: ça ne me coûtait rien, je pouvais faire ce que je voulais. Je fumais des cigarettes à cette époque. J'étais bien dans mon environnement, parce que je faisais ce que j'aimais. Moi, quand je commençais une pièce, il fallait que je la voie finie avant la fin de la journée. Oui, ça fait des longues journées, mais je me couchais très heureux. Chaque collection devient ton petit bébé, et c'est la plus belle que tu aies faite. Moi, je les garde comme si c'était mes enfants, ces pièces-là... que j'en aie 60 ou 80. Après, tu les présentes sous forme de défilés, tu habilles... Je disais que j'habillais des poupées, 30 poupées, 30 silhouettes; c'est super agréable.» Est-ce que l'angoisse est un mal nécessaire lorsqu'on dessine une nouvelle collection? «Moi, je suis un grand angoissé, alors je ne peux pas le dire: je SUIS un angoissé. Ça fait partie de moi. J'ai des boules de stress; parfois, l'angoisse se transforme en beaucoup de tristesse... À la fin, je dois évacuer et je pleure.»

Ce n'est pas sur une note mélancolique que l'échange se termine, mais en portant un toast aux rencontres qui marquent le temps. On se dit que sans l'art, l'âme s'éteint. Que sans l'humain, le vin est dépourvu de son sens.

«Si j'avais un autre choix à faire, j'aimerais peut-être faire de la restauration. J'adore l'art de la table, décorer les tables, les dresser, chercher les couverts... Tout aménager ça, faire les centres de table; je trouve ça beau, c'est touchant. Plus je vieillis, plus j'aime ça.»

DENIS GAGNON

DENIS GAGNON

Syrah — Côte-Rôtie

En français, on utilise l'article «la» pour l'identifier. Même chose en portugais et en espagnol. Mais en anglais, la syrah n'est ni un «il» ni une «elle». L'absence de féminin ou de masculin nous permettait, mes amis anglophones et moi, de débattre pendant des heures si un cépage ou un autre était masculin ou féminin. Le genre de discussion qui endort tout le monde, sauf les *nerds* du vin! Certains étaient plus polarisés que d'autres. En oubliant *Le Petit Robert*, j'écrirais parfois «la syrah» et, d'autres fois, «le syrah». Il arrive qu'on ne soit ni l'un ni l'autre, mais simplement androgyne.

Si je mettais 12 verres de vin devant vous sans dire qu'ils sont issus de la syrah, je pourrais facilement vous méprendre. Connaître le nom du cépage peut provoquer l'illusion de tout comprendre. Or, c'est beaucoup plus complexe que cela. Les expressions varient énormément selon le climat, le type de sol et la main du vinificateur. Un shiraz (le nom donné à la syrah en Australie) de la région de Barossa n'a rien à voir, par exemple, avec la syrah propre au Rhône septentrional.

À l'image du noir qui, pour toi, Denis, est la quintessence de l'élégance, je choisis la syrah de la Côte-Rôtie — une appellation qu'on trouve dans le nord de la vallée du Rhône, en France.

C'est sur des pentes de coteaux très abruptes, qui peuvent être inclinées jusqu'à plus de 60 degrés, que poussent les vignes de cette région. L'exposition sud protège les ceps du vent du Nord et favorise le mûrissement du raisin. Mais cultiver la syrah dans des conditions aussi ardues, où tout le travail doit être fait à la main, est de l'ordre de la dévotion. C'est d'ailleurs pour cette raison que plusieurs parcelles ont été abandonnées pendant de nombreuses années. Merci à Marcel Guigal, qui a fait renaître cette région historique dans les années 1980. Les grandes choses naissent rarement de la facilité...

Aujourd'hui, la Côte-Rôtie a retrouvé son effervescence d'antan. Dans cet environnement marqué par un climat continental tempéré et des sols composés de roches métamorphiques, la syrah s'épanouit pleinement. La finesse de ses tannins et son parfum envoûtant de violette, de prune rouge et de poivre blanc, sans oublier sa pointe sanguine et sa touche minérale, ne peuvent que séduire. Grâce à son acidité assez élevée et sa structure tannique, les grandes bouteilles de l'appellation se bonifient avec le temps.

Fait intéressant à noter: le viognier est complanté avec la syrah, et les producteurs peuvent ajouter jusqu'à 20% de ce cépage blanc dans le vin final. Cette cofermentation procure à la syrah de la fraîcheur et des arômes floraux marqués.

Digne d'un tapis rouge, la Côte-Rôtie exsude la classe. Mais attention: le travail exigeant des artisans se traduit par des vins à prix élevé. Pour les jours plus ordinaires, les appellations Saint-Joseph et Crozes-Hermitage offriront une syrah qui dégage le caractère du Rhône septentrional, mais à un coût plus modeste.

LES BONNES ÉTIQUETTES

Pierre Gaillard
Stéphane Ogier
E. Guigal
René Rostaing
Jean-Luc Jamet
Yves Cuilleron
Nicolas Perrin
Les Vins de Vienne

DIS-MOI QUI TU ES, JE TE DIRAI QUOI BOIRE

Crus du Beaujolais

Comme le jeté sur le canapé qui nous réchauffe les journées pluvieuses, certains vins nous apportent un confort immédiat. Pour moi, le beaujolais, c'est exactement ça.

Les consommateurs ont d'abord connu cette appellation par l'entremise des beaujolais nouveaux, qui n'offraient que des lendemains sans souvenirs. Mais ces vins jeunes et simples aux arômes éclatés de banane et de «gomme balloune» qu'on vend chaque année le troisième jeudi de novembre n'ont rien à voir avec ceux qui mettent un sourire à mes lèvres. Laissez-moi vous présenter les crus du Beaujolais.

Situés sur des collines qu'on trouve dans le nord de la région, ces lieux sont prisés pour leurs terroirs supérieurs. Bien qu'ils reposent sur le même cépage (le gamay) que les beaujolais nouveaux et les beaujolais-villages, les crus du Beaujolais présentent davantage de complexité et de finesse. La nuance entre eux est subtile, et leurs différences sont définies par les microclimats et la diversité des sols. Toutefois, l'accessibilité et le charme sont toujours au rendez-vous. Difficile de résister à ces notes croquantes de fruits rouges, comme la cerise, la framboise, la canneberge et la fraise. Les meilleures bouteilles dévoilent une texture soyeuse et une pointe minérale en fin de bouche. Grâce à leur corps léger, leurs tannins faibles et leur acidité vive, les crus du Beaujolais accompagnent aussi bien la volaille, les charcuteries et les pâtés que les poissons grillés tels le saumon et le thon. Pour un maximum de bonheur, on les servira légèrement frais.

LES BONNES ÉTIQUETTES

Jean Foillard
Domaine Marcel Lapierre
Georges Descombes
Christophe Pacalet
Jean-Paul Brun
Domaine J. Chamonard

On doit connaître le nom des crus pour les repérer au moment de l'achat, puisque le mot «Beaujolais» ne figure pas sur l'étiquette. Chacun d'eux a sa propre appellation. On en dénombre 10: Juliénas, Morgon, Moulin-à-Vent, Fleurie, Régnié, Chénas, Saint-Amour, Chiroubles, Brouilly, Côte de Brouilly.

Pour toi, Denis, qui chéris les plats mijotés longuement, les crus du Beaujolais risquent de te procurer beaucoup de réconfort. Un produit accessible et abordable.

Aligoté

Longtemps le mouton noir de la région de Bourgogne, l'aligoté était surtout connu pour ses blancs neutres et extrêmement acides, auxquels il fallait ajouter de la crème de cassis — la recette classique du kir, un apéritif apprécié des Français — afin de les rendre buvables. L'acidité naturellement élevée du cépage était exacerbée par des millésimes difficiles et le mauvais sort d'être planté sur les moins bonnes parcelles de la région, les plus grands terroirs étant dédiés aux cépages plus prisés (soit le chardonnay et le pinot noir).

Mais son destin change. Un plus grand respect envers ce cépage — que cultivent un nombre grandissant de producteurs — et de meilleures pratiques en viticulture, sans oublier les changements climatiques, sont tous des facteurs qui ont contribué à l'amélioration de sa qualité ces dernières années. Les bons aligotés allient tension, précision et minéralité. Si le village de Bouzeron, situé dans la Côte Chalonnaise, est connu pour la qualité de ses produits, on trouve aujourd'hui des aligotés d'exception vendus sous l'appellation Bourgogne AOC.

L'acidité vive de ces vins fait saliver, et leurs notes d'agrumes permettent une multitude d'accords. Un choix naturel pour, entre autres, le poisson cru qu'on prépare de la manière la plus simple qui soit dans plusieurs recettes japonaises. Parfait pour toi, cher Denis, qui apprécies particulièrement les saveurs de l'Asie.

LES BONNES ÉTIQUETTES

Domaine Naudin-Ferrand
Guilhem et Jean-Hugues
 Goisot
Domaine A. et P. de Villaine
Bachelder
Alice et Olivier De Moor
 (importation privée:
 Vini-Vins)

DIS-MOI QUI TU ES, JE TE DIRAI QUOI BOIRE

Remerciements

Ce projet est dans ma tête depuis plusieurs années déjà. Grâce à vous, j'ai eu le courage de lui donner naissance — mais surtout de continuer à y croire. *Namaste*.

Jorane.
Merci de m'avoir donné le courage de quitter une vie pour en recommencer une autre.

Jorane, Éloi, Sophie et *adam.*
Merci pour vos mots quand l'idée n'était qu'un embryon.

Mon agente, *Sandra Rossi.*
Sans ta persévérance dans les moments de noirceur, ce livre n'existerait pas. Merci de croire en moi.

À toute l'équipe de Cardinal: vous êtes extraordinaires!

Antoine Ross Trempe. Merci d'avoir pris le risque de me suivre dans ma folie.

Emilie Villeneuve.
Quel bonheur de travailler avec toi. Des bouteilles de champagne, il y en aura beaucoup plus.

Jorge Camarotti.
Ton regard était toujours juste et si discret.

Noémie Graugnard.
Tu as su capter l'essence de mon livre avec chaque lieu.

Maude Paquette-Boulva.
Merci pour ta sensibilité et ton doigté artistique derrière mes mots.

Marie Guarnera.
Pour ton encadrement.

Kim Thúy.
Merci d'avoir pris ma main et d'avoir marché à mes côtés.
Chaque jour, tu m'as rendue un peu plus grande.

Maman et *Daniel.*
Merci pour votre amour inconditionnel.

Papa.
L'artiste en moi, c'est à toi que je la dois.

Rui.
Obrigado pela calma nos momentos de tempestade.

Hélène Tremblay.
Grâce à toi, mes cernes et mes sourcils se sont améliorés.

Hélène Chalifoux.
Ton assistance avec les verbatim dans mon sprint final a été essentielle.

Et merci à vous, ci-dessous, qui avez eu une ouverture d'esprit et qui avez accepté de faire partie de ce projet sans trop comprendre comment le tout allait prendre forme. La richesse de ce livre, ce sont les récits de nos rencontres. Sans l'humain, le vin est dépourvu de son sens. Mille fois MERCI !

JORANE	CAFÉ DARLING
EMMANUEL BILODEAU	BAR LE FITZROY
MAGALIE LÉPINE-BLONDEAU	BAR LE RECORD
LOUIS-JEAN CORMIER	BAR LE FURCO
KIM THÚY	MONUMENT-NATIONAL
CHRISTIAN BÉGIN	PIZZERIA GEMA
GENEVIÈVE GUÉRARD	SALON DE THÉ CARDINAL
ALEXANDRE TAILLEFER	THE CONCORDIA GREENHOUSE
ANNE-MARIE CADIEUX	LIBRAIRIE WESTCOTT
MARIANNE ST-GELAIS	GALERIE SIMON BLAIS
STEVEN GUILBEAULT	AGENCE GOODWIN
PATRICK LAGACÉ	BOUTIQUE-ATELIER DENIS GAGNON
CHAMPLAIN CHAREST	ATELIER ANNE-MARIE CHAGNON
ANNE-MARIE CHAGNON	RESTAURANT LES FILLETTES
ANNE DORVAL	MONTRÉAL PLAZA
FRED PELLERIN	LA MAISON DE THÉ CAMELLIA SINENSIS
MONIQUE GIROUX	VINUM DESIGN
FRANCE BEAUDOIN	
MARC SÉGUIN	
DENIS GAGNON	

À la vôtre!

Michelle B. x

«Et puis, il y a ceux que l'on croise, que l'on connaît à peine,
qui vous disent un mot, une phrase, vous accordent une minute,
une demi-heure et changent le cours de votre vie.»

VICTOR HUGO